Le grand livre des premiers ministres du Canada

TEXTE :
Pat Hancock

ILLUSTRATIONS :
John Mantha

TRADUCTION :
Louise Binette

RÉVISION :
Ginette Bonneau

À mon mari, Ron, Canadien par choix, et aux Dufresne et aux Kelly,
descendants de mes ancêtres français et irlandais,
qui vivaient ici avant l'établissement de la Confédération.

Remerciements

Des remerciements particuliers à l'équipe de Kids Can pour sa recherche
d'excellence dans l'édition, la vérification des faits et la conception,
et pour son choix inspiré de John Mantha comme illustrateur.

The Canadian Encyclopedia (deuxième édition), *Dictionary of Canadian Biography*
et *The Junior Encyclopedia of Canada* comptent parmi les principales sources d'information
utilisées pour la rédaction de ce livre.

Texte : © 1998 Pat Hancock

Illustrations : © 1998 John Mantha

Première édition révisée : © 2005

Édité sous la direction de Elizabeth MacLeod

Mise en pages de Julia Naimska

Traduction : Louise Binette

Révision : Ginette Bonneau

Livre à caisse cousue imprimé et manufacturé en Chine.

CMV 0 9 8 7 6 5 4 3 2 1

Catalogage avant publication de Bibliothèque et Archives Canada

Hancock, Pat
Le grand livre des premiers ministres du Canada

Traduction de : Kids book of Canadian prime ministers.

Pour les jeunes de 7 à 12 ans.

ISBN 2-7625-2300-1

1. Premiers ministres – Canada – Biographies – Ouvrages pour la jeunesse. I. Titre.

FC26.P7H3614 2005   j971'.009'9   C2004-941584-0

Nous reconnaissons l'aide financière du gouvernement du Canada par l'entremise du
Programme d'aide au développement de l'industrie de l'édition (Padié) pour nos activités d'édition.

Gouvernement du Québec – Programme de crédit d'impôt pour l'édition de livres.

Table des matières

Le gouvernement du Canada

Le premier ministre est le chef du gouvernement du Canada.
Mais quel type de gouvernement le premier ministre dirige-t-il ? Et comment obtient-il ce poste ?

Une démocratie représentative

Le Canada est une démocratie, ce qui signifie que les Canadiens se gouvernent eux-mêmes et qu'ils dirigent leur propre pays. Cependant, des millions de Canadiens ne peuvent pas voter chaque fois qu'une décision doit être prise. Cela prendrait une éternité avant d'accomplir quoi que ce soit. Ils choisissent donc des gens pour les représenter et prendre des décisions en leur nom au Parlement d'Ottawa. Ce sont les députés.

Les élections fédérales

Les députés sont choisis lors d'élections fédérales, c'est-à-dire à travers tout le pays. Ce dernier est divisé en régions appelées circonscriptions électorales et, le jour des élections, la personne qui obtient le plus grand nombre de votes dans une circonscription est élue député.

La plupart des gens qui souhaitent devenir députés sont membres de partis politiques tels que le Parti libéral et le Parti conservateur. Ceux-ci sont composés de personnes qui partagent les mêmes idées sur la façon de gouverner le Canada. Après une élection, les députés du parti comptant le plus de membres élus forment le gouvernement et le chef de ce parti devient premier ministre.

Le chef d'État

Le premier ministre est le chef du gouvernement (voir page 6), mais le Canada a aussi un chef d'État. Ce dernier représente le pays tout entier, son peuple et ses lois. Au Canada, c'est la monarchie britannique (roi ou reine) qui assume ce rôle par l'entremise du gouverneur général.

Le gouverneur général agit comme chef d'État du Canada. Il n'est pas élu à ce poste. C'est le premier ministre qui le nomme de sorte qu'il représente toute la population et pas seulement ceux qui auraient voté pour lui. Le gouverneur général se conforme aux désirs des Canadiens en approuvant les décisions du gouvernement élu, c'est-à-dire en leur donnant la sanction royale.

Les Chambres du Parlement

Le Parlement est divisé en deux parties : la Chambre des communes et le Sénat, tous les deux situés dans les édifices du Parlement, à Ottawa. Les députés élus provenant de partout au pays siègent à la Chambre des communes.

C'est à la Chambre des communes que le gouvernement, avec sa majorité de députés, présente ses projets de loi pour diriger le pays. Les députés qui sont membres du parti comptant le deuxième plus grand nombre d'élus forment l'opposition officielle à la Chambre. Leur travail consiste à étudier attentivement les projets de loi du gouvernement et à poser des questions pièges sur les nouvelles lois que le gouvernement veut adopter.

Si la Chambre des communes vote en faveur de ces lois, le gouvernement les présente ensuite au Sénat, présentement constitué de 104 membres. Le premier ministre nomme des sénateurs venus de toutes les régions du pays et ceux-ci peuvent occuper leur siège jusqu'à l'âge de 75 ans. Leur tâche consiste à examiner soigneusement les projets de loi du gouvernement qui ont été adoptés à la Chambre des communes.

Le Cabinet

Le premier ministre confie à certains députés un poste particulier ou portefeuille. Ces députés deviennent alors des ministres et ils ont la responsabilité des principaux services gouvernementaux, également appelés ministères, comme les Finances, la Santé, la Citoyenneté et l'Immigration. Les ministres et le premier ministre forment le Cabinet. Quelques conseillers qui n'ont pas la charge d'un ministère peuvent aussi faire partie du Cabinet. On les appelle les ministres sans portefeuille.

Le gouvernement au travail

Les lois, c'est du sérieux

Le premier ministre et le Cabinet déterminent habituellement quelles sont les lois que le gouvernement aimerait voter. Les membres du Cabinet proposent aux députés de la Chambre des communes les textes détaillés de ces nouvelles lois, appelés projets de loi. Ceux-ci sont étudiés et débattus par les députés et défendus par les membres du Cabinet.

Chaque projet de loi est lu et examiné attentivement à trois reprises par la Chambre avant que les députés votent et adressent le projet de loi au Sénat. Après l'avoir débattu à leur tour, les sénateurs adoptent le projet de loi tel quel ou le retournent à la Chambre avec certaines modifications. Les députés doivent voter pour approuver ou rejeter les changements proposés par le Sénat.

Une fois le projet de loi définitivement adopté par la Chambre, il est soumis au gouverneur général pour recevoir la sanction royale. C'est alors seulement qu'il devient une nouvelle loi s'appliquant à tous les Canadiens.

Le choix du peuple

Au Canada, une élection fédérale doit avoir lieu au moins tous les cinq ans. Si les électeurs ne sont pas satisfaits des lois adoptées par le gouvernement ou de la façon dont les députés les représentent à la Chambre des communes, ils peuvent voter pour de nouveaux représentants aux élections suivantes.

Le rôle du premier ministre

Le rôle et les pouvoirs du premier ministre ne sont pas définis dans la Constitution. Cela ne signifie pas pour autant qu'il peut agir comme bon lui semble. En général, il se conforme aux traditions du Parlement et fait ce que les premiers ministres ont toujours fait. Il agit donc comme :

• Chef du gouvernement

La tâche principale du premier ministre consiste à diriger le gouvernement. Il prend la parole devant le Parlement et les médias, lors de rencontres nationales telles que les conférences des premiers ministres et lors de réunions internationales de chefs de gouvernement. Le premier ministre décide aussi quels projets de loi les membres du Cabinet présenteront à la Chambre des communes. Il nomme les sénateurs, le gouverneur général et le lieutenant-gouverneur de chaque province, ainsi que les juges de la Cour suprême et des cours fédérales.

Le Sénat

La Chambre des communes

• Chef du Cabinet

Après avoir choisi les ministres du Cabinet qui dirigeront les services du gouvernement, le premier ministre doit également s'assurer qu'ils s'acquittent bien de leur travail. C'est pourquoi il convoque régulièrement des réunions du Cabinet. Celles-ci se déroulant à huis clos, il est difficile de savoir quel rôle le premier ministre y joue exactement. On sait toutefois que c'est lors de ces réunions que les ministres du Cabinet doivent obtenir l'approbation du premier ministre avant de proposer un nouveau projet de loi à la Chambre. Un ministre qui perd l'appui du premier ministre est habituellement exclu du Cabinet.

• Député

Un premier ministre doit également être député pour pouvoir siéger à la Chambre des communes. Il a donc la responsabilité de représenter à la Chambre les intérêts de la circonscription qui l'a élu.

• Chef de parti

Pour diriger le Canada, un premier ministre doit d'abord être à la tête d'un parti politique. Une fois au pouvoir, cependant, le premier ministre doit travailler à servir les meilleurs intérêts du pays, même si cela signifie qu'il doit parfois aller à l'encontre des idées de son parti. Par ailleurs, en tant que chef de parti, le premier ministre doit aussi présider les réunions du parti et les événements organisés pour collecter des fonds, ou y assister, en plus de voir au bon fonctionnement du parti entre les élections.

• Leader international

En tant que chef de l'une des démocraties les plus respectées, le premier ministre du Canada joue également le rôle de leader mondial. En temps de paix comme en temps de guerre, les opinions et les décisions du premier ministre peuvent influencer les décisions politiques, économiques et sociales d'autres pays.

SIR John Alexander Macdonald

En 1833, l'avocat John Alexander Macdonald est arrivé à Hallowell (aujourd'hui Picton, en Ontario) pour travailler au cabinet d'avocat de son cousin malade. Macdonald avait de quoi s'offrir un nouveau complet et de nouvelles bottes, mais pas un cheval et une voiture. Ainsi, tous les jours, il empruntait un chemin de terre, son veston neuf sous le bras et ses bottes neuves dans les mains. Aux limites du village, il se dépoussiérait, enfilait ses habits neufs et marchait élégamment vêtu dans les rues de Hallowell. Chaque soir, il refaisait la même chose à l'inverse. Trente-quatre ans plus tard, toujours à court d'argent et fervent de beaux vêtements, Macdonald se tenait fièrement devant le gouverneur général Lord Monck et devenait le premier à être assermenté comme premier ministre du Canada.

Biographie

Naissance : le 11 janvier 1815, à Glasgow, en Écosse

Parti : libéral-conservateur (le Parti conservateur d'aujourd'hui)

État civil : marié à Isabella Clark en 1843 (deux fils, dont l'un mort en bas âge) ; veuf en 1857 ; remarié à Susan Agnes Bernard en 1867 (une fille)

Profession : avocat

Vie politique : élu à l'Assemblée législative de la province du Canada à Kingston, Canada-Ouest (Ontario) (1844) ; copremier ministre de la province du Canada, (1856-1862 et 1864-1867) ; chef du Parti libéral-conservateur (1867-1891) ; député de Kingston (Ontario) (1867-1878 et 1887-1891) ; chef de l'opposition (1873-1878) ; député de Victoria (Colombie-Britannique) (1878-1882) ; député de Carleton (Ontario) (1882-1887)

Premier ministre : du 1er juillet 1867 au 5 novembre 1873 ; du 17 octobre 1878 au 6 juin 1891

Décès : le 6 juin 1891, à Ottawa (Ontario)

Amical et populaire

Intelligent et travailleur, Macdonald s'est forgé une réputation de brillant avocat. Blagueur, doté d'une excellente mémoire des noms et des visages, il faisait bonne impression sur les gens qui voyaient en lui un homme réaliste qui se souciait d'eux. Macdonald a néanmoins connu plusieurs épreuves. Sa première épouse, Isabella, était très malade, et leur fils aîné est mort peu de temps après son premier anniversaire. De plus, la politique a tenu Macdonald à l'écart de l'exercice du droit, sa principale source de revenus, et il était souvent sans le sou. Son penchant pour l'alcool pour oublier ses ennuis a fini par être connu de tous et a parfois été utilisé contre lui. Malgré tout, élection après élection, la population fermait les yeux et accordait son appui à Macdonald.

Un Canada divisé

Dès son élection à l'Assemblée législative de la province du Canada, Macdonald n'a pas ménagé les efforts pour unir les différents groupes politiques qu'on appelait les conservateurs. Il est devenu leur chef en 1856, mais les conservateurs demeuraient malgré tout divisés, représentant principalement les résidents anglophones du Canada-Ouest (l'Ontario). Macdonald savait qu'il devait obtenir l'appui du Canada-Est (le Québec). Il s'est donc uni au chef conservateur du Canada-Est, Étienne-Paschal Taché, avec qui il est devenu copremier ministre du Canada. Les Canadiens ont tout de même continué à se quereller à propos de la religion (catholiques vs protestants) et de la langue (français vs anglais), ce qui a passablement compliqué la tâche du gouvernement.

Père de la Confédération

Au début de 1864, Macdonald en avait tellement assez des disputes qu'il était prêt à donner sa démission comme chef. Pourtant, son espoir de bâtir un Canada fort et uni a soudain connu un regain. À l'été et à l'automne de la même année, les dirigeants du Canada-Est et du Canada-Ouest (le Québec et l'Ontario), de la Nouvelle-Écosse, du Nouveau-Brunswick et de l'Île-du-Prince-Édouard se sont réunis à Charlottetown, à Halifax et à Québec pour discuter de la possibilité de créer un pays. De la fin de 1864 à l'hiver 1867, Macdonald a travaillé dur pour donner forme au nouveau pays. Il a insisté pour instaurer un gouvernement fortement centralisé avec des pouvoirs limités aux provinces. L'Île-du-Prince-Édouard était en désaccord et est demeurée une colonie britannique (tout comme Terre-Neuve). En revanche, la province du Canada, la Nouvelle-Écosse et le Nouveau-Brunswick se sont mis d'accord et, le 1er juillet 1867, le Dominion du Canada était né, avec Macdonald comme premier ministre. Pour l'honorer d'avoir unifié le pays, la reine Victoria lui a accordé le titre de sir.

> « QUOI QUE VOUS FASSIEZ, ADHÉREZ À L'UNION. NOUS SOMMES UNE GRANDE NATION ET NOUS DEVIENDRONS LE PLUS GRAND PAYS DE L'UNIVERS SI NOUS LA PRÉSERVONS. NOUS SOMBRERONS DANS L'INSIGNIFIANCE ET DANS L'ADVERSITÉ SI NOUS LA LAISSONS SE FRACTURER. »
>
> *Macdonald, 1861*

Les Pères de la Confédération. Macdonald est assis, au centre.

Louis Riel

Macdonald a commis une grave erreur lorsque le Canada s'est emparé des Territoires du Nord-Ouest. Il ne s'est pas donné la peine de demander aux colons qui habitaient là s'ils souhaitaient faire partie du Canada. En décembre 1869, Louis Riel, chef des Métis (personnes d'ascendance autochtone et européenne) francophones de la région, a formé un gouvernement et a organisé ce qu'on appelle aujourd'hui le soulèvement de la rivière Rouge pour déjouer les plans de prise de pouvoir du Canada.

Lorsque Thomas Scott, un homme d'Ontario, a été capturé et exécuté par les Métis, de nombreux conservateurs de l'Ontario étaient furieux et réclamaient qu'on punisse Riel pour la mort de Scott. Le gouvernement de Macdonald a plutôt négocié avec celui de Riel et la nouvelle province du Manitoba a été fondée en juillet 1870.

En 1885, la colère grondait encore une fois dans l'Ouest, surtout parce que Macdonald se souciait peu des besoins et des droits des habitants de ce qui est aujourd'hui la Saskatchewan. De nouveau, Riel a conduit les colons à la rébellion. Mais, cette fois, il a été jugé pour trahison et condamné à la peine de mort.

Aux yeux des francophones catholiques du Québec, Riel était un héros. Pour les protestants d'Ontario, il était l'assassin de Scott. Les autochtones et les Métis, quant à eux, le considéraient comme un chef courageux. Riel était maintenant atteint de maladie mentale et de nombreux jurisconsultes soutenaient qu'il ne devait pas être mis à mort. Macdonald a tout de même laissé la sentence être exécutée à Régina, le 16 novembre 1885. L'explosion de colère qui a suivi la mort de Riel résonne encore au Québec et parmi le peuple métis.

Les Territoires du Nord-Ouest

En mars 1867, les États-Unis ont acheté l'Alaska de la Russie. La Grande-Bretagne craignait que les Américains essaient ensuite d'acquérir la Terre de Rupert (les terres qui entourent toutes les rivières se jetant dans la baie d'Hudson) et les Territoires du Nord-Ouest. La Compagnie de la Baie d'Hudson contrôlait ce

TERRE DE RUPERT

territoire, mais elle a accepté de le vendre au gouvernement canadien. En juillet 1870, cette vaste région s'est ajoutée au Canada.

La promesse d'un chemin de fer

Macdonald s'inquiétait de la possibilité de voir le Canada perdre la Colombie-Britannique aux mains des Américains. Son gouvernement a donc accepté de prendre à sa charge la dette de cette province et de construire un chemin de fer jusqu'au Pacifique pour 1881. La Colombie-Britannique s'est jointe au Canada le 20 juillet 1871. L'Île-du-Prince-Édouard en a fait autant en 1873.

Le scandale du Pacifique

Macdonald devait maintenant amasser des fonds pour un chemin de fer transcanadien ainsi que pour la campagne électorale de 1872. Sir Hugh Allan souhaitait voir sa compagnie obtenir le contrat pour la construction du chemin de fer Canadien Pacifique. Il a donc versé aux conservateurs 350 000 $, espérant que cela lui permettrait de décrocher le contrat. Le gouvernement de Macdonald a été réélu en 1872. Cependant, au printemps 1873, un télégramme de sir John adressé à Allan pendant la campagne électorale de 1872 est tombé entre les mains des libéraux. Macdonald implorait : « Il me faut dix mille dollars

de plus. Ce sera la dernière fois. Ne me faites pas faux bond. Répondez aujourd'hui. » Accusé de corruption, le gouvernement de sir John a démissionné.

De retour au pouvoir

Macdonald a mené une campagne acharnée lorsque les libéraux ont déclenché des élections en 1878. Il a promis de nouvelles taxes sur les marchandises américaines afin de protéger les commerçants et les fermiers canadiens. Les conservateurs ont remporté l'élection et sir John est redevenu premier ministre.

Macdonald et son épouse sont passés à Kicking Horse Pass, en Colombie-Britannique, assis à l'avant du train. Sir John avait 71 ans à cette époque !

D'un océan à l'autre

Le rêve de Macdonald de voir un chemin de fer traverser le Canada d'un bout à l'autre s'est concrétisé lorsque le dernier crampon a été enfoncé dans les rails à Craigellachie, en Colombie-Britannique, le 7 novembre 1885. L'été suivant, sir John et son épouse ont fait le voyage en train jusqu'au Pacifique.

Une fière conclusion

L'un des plus grands moments de fierté de sir John s'est produit le 29 avril 1891 lorsqu'il a escorté son fils, le nouveau député Hugh John Macdonald, à la Chambre des communes. Un mois plus tard, sir John a eu une attaque et il est mort le 6 juin 1891.

D'AUTRES FAITS MARQUANTS
- a légalisé la formation de syndicats par les travailleurs en 1872 ;
- *a formé la Police à cheval du Nord-Ouest (aujourd'hui la GRC) en 1873 ;*
- a créé le premier parc national du Canada à Banff, en Alberta, en 1885.

LE VIEUX DRAPEAU, LA VIEILLE POLITIQUE, LE VIEUX CHEF.

Alexander Mackenzie

Sandy Mackenzie gagnait sa vie convenablement comme tailleur de pierres en Écosse, mais le chômage était à la hausse. De plus, une amie d'enfance très chère, Helen Neil, avait décidé d'émigrer au Canada avec ses parents. En avril 1842, Mackenzie a donc rassemblé ses outils et a fait la traversée en compagnie des Neil. Pas un seul instant il n'aurait pu imaginer que, 31 ans plus tard, il deviendrait le deuxième premier ministre du Canada.

Son entrée en politique

Après avoir passé quelques années à Kingston, Mackenzie s'est installé à Sarnia, où il est devenu entrepreneur de construction. Au déclenchement d'une élection provinciale en 1861, les résidents de l'endroit ont vu en lui un candidat raisonnable, travailleur et honnête, et ils ont voté pour lui. Ils l'ont également élu au premier Parlement du Canada en 1867.

Biographie

Naissance : le 28 janvier 1822, près de Dunkeld, en Écosse

Parti : libéral

État civil : marié à Helen Neil, en 1845 (trois enfants, dont deux morts en bas âge) ; veuf en 1852 ; remarié à Jane Sym en 1853

Profession : tailleur de pierres, homme d'affaires

Vie politique : élu à l'Assemblée législative de la province du Canada à Lambton, Canada-Ouest (Ontario) (1861) ; député de Lambton (Ontario) (1867-1882) ; chef des libéraux (1873-1880) ; député de York-Est (Ontario) (1882-1892)

Premier ministre : du 7 novembre 1873 au 8 octobre 1878

Décès : le 17 avril 1892, à Toronto (Ontario)

L'heure est venue

Mackenzie était le chef libéral en 1873 lorsque le gouvernement conservateur de sir John A. Macdonald a démissionné en raison du scandale du Pacifique (voir page 11). Le gouverneur général Lord Dufferin a demandé à Mackenzie et à ses libéraux de prendre le pouvoir et, soudain, Sandy Mackenzie était le nouveau premier ministre du Canada.

Les libéraux au pouvoir

Mackenzie voulait donner à la population la chance d'élire le gouvernement de son choix; il a donc annoncé une élection deux mois plus tard. Il a promis de cesser d'emprunter de l'argent pour terminer la construction du chemin de fer transcontinental et a déclaré qu'il diminuerait les taxes spéciales, ou tarifs douaniers, qui rendaient les marchandises venant des États-Unis plus chères que celles du Canada. Il s'est aussi engagé à diriger un gouvernement honnête. Excédés par les conservateurs, les électeurs ont voté pour leur premier gouvernement libéral.

Des problèmes de tarifs

Lorsque Mackenzie a réduit les dépenses liées à la construction du chemin de fer, la Colombie-Britannique a reproché au Canada de ne pas tenir sa promesse, faite lors de son entrée dans la Confédération, de relier le pays par chemin de fer. Afin d'augmenter les revenus du pays, Mackenzie devait revoir à la hausse les tarifs douaniers qu'il avait promis d'abaisser. Ceci a soulevé la colère de bon nombre de libéraux qui croyaient au libre-échange, sans taxes spéciales, entre le Canada et les États-Unis. De leur côté, les conservateurs étaient furieux parce qu'ils soutenaient que Mackenzie n'avait pas suffisamment augmenté les tarifs douaniers. Ils souhaitaient voir le prix des marchandises américaines grimper afin d'inciter les Canadiens à acheter des produits du Canada.

Le retour des conservateurs

À la fin des années 1870, au Canada et partout dans le monde, les prix du bois, du poisson et des céréales, entre autres, ont chuté. Des commerces fermaient et les emplois étaient rares. La population attendait du gouvernement qu'il règle ces problèmes. Alors que la prochaine élection approchait, le chef de l'opposition, sir John A. Macdonald, a sauté sur l'occasion. Il a promis « un Canada pour les Canadiens », avec des tarifs douaniers hautement protectionnistes et un chemin de fer achevé. En septembre 1878, les conservateurs de Macdonald étaient majoritaires en Chambre. Atterré, Mackenzie a démissionné comme premier ministre. Il est demeuré chef de l'opposition durant deux ans.

La tour Mackenzie de l'aile ouest du Parlement a été nommée en l'honneur du premier ministre du même nom. L'ancien tailleur de pierres a fait construire un escalier secret dans la tour de façon à pouvoir sortir de son bureau discrètement et ainsi éviter les gens qui voulaient lui demander une faveur.

D'AUTRES FAITS MARQUANTS

- *a fait adopter la loi du scrutin secret en 1874;*
- a fait de la Police à cheval du Nord-Ouest le corps de police officiel au Canada-Ouest en 1874; • a établi la première Cour suprême du Canada en 1875;
- a nommé le premier vérificateur général du Canada, c'est-à-dire la personne qui surveille étroitement les dépenses du gouvernement, en 1878.

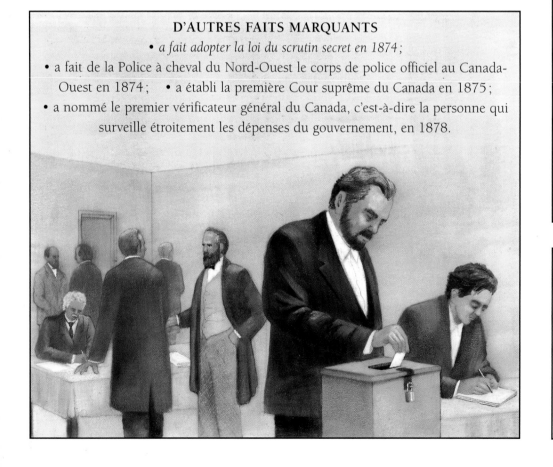

« ALEXANDER MACKENZIE ÉTAIT DROIT ET SOLIDE COMME UNE VIEILLE MAÇONNERIE... IL SERAIT SOUHAITABLE D'AVOIR D'AUTRES MACKENZIE DANS LA VIE PUBLIQUE AUJOURD'HUI. »

Wilfrid Laurier, 1892

SIR John Joseph Caldwell Abbott

Sir John A. Macdonald se mourait. Alors que la triste nouvelle s'ébruitait, les gens se demandaient qui allait lui succéder. Un grand nombre de conservateurs étaient d'accord pour dire que John Thompson, le brillant ministre des Finances de sir John, s'acquitterait bien de cette tâche. Les francophones catholiques du Québec se réjouissaient du fait que Thompson était catholique romain, mais il en était tout autrement des conservateurs protestants de l'Ontario. Pour éviter la dissension au sein de son parti, Thompson a recommandé qu'on choisisse plutôt John Abbott, un protestant.

> « JE SUIS ICI EN GRANDE PARTIE PARCE QUE JE NE SUIS PAS PARTICULIÈREMENT DÉSAGRÉABLE À QUICONQUE. »
> *Abbott, 1891*

Une santé chancelante

Parce qu'il était sénateur et non député, Abbott ne pouvait pas siéger à la Chambre des communes ; il confiait donc à Thompson la gestion quotidienne du gouvernement. Malgré tout, la santé d'Abbott s'est détériorée en juillet 1892. Son médecin lui a recommandé le repos, mais cela n'a pas suffi. Le 24 novembre 1892, Abbott a remis sa démission comme premier ministre.

Agir selon son devoir

Abbott était sénateur lorsqu'il est devenu premier ministre. Il avait 70 ans et une santé précaire. Deux jours avant la mort de sir John, il a écrit cette note à un ami : « Pourquoi devrais-je aller là où je serai détesté pour avoir fait honnêtement mon travail ? » Toutefois, son parti avait besoin de lui et il a répondu à l'appel.

Au pouvoir

Espérant que son parti allait bientôt choisir un autre chef, Abbott n'a pas planifié de changements majeurs. Néanmoins, il a tenté de faire cesser les scandales et la corruption au sein du gouvernement, en plus de collaborer avec John Thompson pour organiser les centaines de lois canadiennes en un code pénal clair assorti de sanctions appropriées.

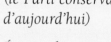

Biographie

Naissance : le 12 mars 1821, à Saint-André-Est (Bas-Canada)

Politique : libéral-conservateur (le Parti conservateur d'aujourd'hui)

État civil : marié à Mary Bethune en 1849 (huit enfants)

Profession : avocat

Vie politique : député d'Argenteuil (Québec) (1867-1874 et 1881-1887) ; sénateur (1887-1893) ; maire de Montréal (1887-1889) ; chef des libéraux-conservateurs (1891-1892)

Premier ministre : du 16 juin 1891 au 24 novembre 1892

Décès : le 30 octobre 1893, à Montréal (Québec)

SIR John Sparrow David Thompson

Tout ce que John Thompson avait toujours souhaité, c'était d'être juge. Aussi, bien qu'il ait été premier ministre de sa province, il a très volontiers abandonné la politique lorsqu'il a été nommé juge à la Cour suprême de la Nouvelle-Écosse en 1882. Thompson se passionnait pour son travail et s'en acquittait superbement. Il appréciait aussi les heures régulières de la Cour qui lui permettaient de passer du temps avec sa famille. Ses amis conservateurs et son épouse, Annie, ont donc dû insister pour qu'il réponde à l'appel de sir John A. Macdonald de venir à Ottawa, en 1885.

Biographie

Naissance : le 10 novembre 1845, à Halifax (Nouvelle-Écosse)

Parti : libéral-conservateur (le Parti conservateur d'aujourd'hui)

État civil : marié à Annie Affleck en 1870 (neuf enfants, dont quatre morts en bas âge)

Profession : avocat

Vie politique : premier ministre de la Nouvelle-Écosse (1882) ; député d'Antigonish (Nouvelle-Écosse) (1885-1894) ; chef des libéraux-conservateurs (1892-1894)

Premier ministre : du 5 décembre 1892 au 12 décembre 1894

Décès : le 12 décembre 1894, au château de Windsor

La justice pour tous

Macdonald a fait de Thompson son ministre de la Justice. Ce dernier a eu tôt fait de régler deux litiges délicats opposant le Canada et les États-Unis sur les questions de la pêche et de la chasse aux phoques. Il a également créé le Code criminel canadien, le premier de ce type dans le monde. Ce code décrivait avec précision toutes les actions considérées comme des crimes au Canada ainsi que les sanctions applicables. Il donnait également aux juges une certaine flexibilité devant les contrevenants, particulièrement ceux âgés de moins de 16 ans. Le Parlement a adopté le Code criminel en 1892.

Premier ministre

En 1892, Thompson s'affairait également à accomplir la majeure partie du travail du nouveau premier ministre Abbott, car celui-ci n'avait pas de siège à la Chambre des communes. Lorsque la maladie a forcé Abbott à abandonner son poste, Thompson a accepté de devenir premier ministre.

Une perte pour le Canada

La reine Victoria était impressionnée par les réalisations de Thompson. En 1894, elle l'a invité à Londres où il a été assermenté comme conseiller privé. Thompson aurait voulu que son épouse, Annie, l'accompagne, mais il avait à peine de quoi s'offrir un complet pour la cérémonie. Lors du déjeuner donné par la reine, il a malheureusement été victime d'une crise cardiaque qui l'a emporté.

SIR Mackenzie Bowell

Mackenzie Bowell n'avait que 11 ans quand on l'a envoyé travailler au journal *Intelligencer* de Belleville. Il a commencé comme apprenti-imprimeur et rentrait chez lui couvert d'encre noire à force de retirer des presses les feuilles de papier fraîchement imprimées. Bowell a gravi les échelons peu à peu, passant d'apprenti-imprimeur à rédacteur et enfin à propriétaire du journal. À partir de 1867, il est devenu un député populaire, remportant élection après élection jusqu'en 1892, année où il a été nommé sénateur. Par contre, il ne connaissait pas la même popularité au sein du gouvernement, où il était souvent perçu comme extrêmement anticatholique et antilibéral.

Au suivant !

Sir John A. Macdonald était mort en 1891 et, trois ans plus tard, les conservateurs se ressentaient toujours de sa perte. De concert avec le gouverneur général, ils devaient maintenant choisir le troisième chef du parti en autant d'années. C'est Bowell qui a hérité du poste.

En première ligne

Le parti de Bowell s'est retourné contre lui après sa nomination comme premier ministre. Beaucoup n'aimaient pas ses opinions extrêmes sur la religion. Par ailleurs, lorsqu'il a tenté de se montrer juste envers les francophones catholiques du Manitoba en adoptant un projet de loi exigeant de cette province qu'elle leur redonne leurs propres écoles, plusieurs membres de son Cabinet ont démissionné en signe de protestation. S'estimant dans un « nid de traîtres », pour employer son expression, il a également remis sa démission. De nouveau, le Canada était sans premier ministre.

Biographie

Naissance : le 27 décembre 1823, à Rickinghall, en Grande-Bretagne

Parti : conservateur

État civil : marié à Harriet Moore en 1847 (neuf enfants)

Profession : propriétaire de journal

Vie politique : député de North Hastings (Ontario) (1867-1892) ; sénateur (1892-1917) ; chef des libéraux-conservateurs (1894-1896)

Premier ministre : du 21 décembre 1894 au 27 avril 1896

Décès : le 10 décembre 1917, à Belleville (Ontario)

LE SAVIEZ-VOUS?

Bowell a été le second (et dernier) sénateur à devenir premier ministre. De nos jours, si le premier ministre démissionnait, le vice-premier ministre assurerait la relève jusqu'au choix d'un nouveau chef de parti.

SIR Charles Tupper

Charles Tupper était un Père de la Confédération, l'un des leaders ayant créé le nouveau Dominion du Canada (voir page 9). Il s'est battu longtemps et avec acharnement pour convaincre la population de la Nouvelle-Écosse qu'elle gagnerait à entrer dans la Confédération. Sans lui, sir John A. Macdonald n'aurait peut-être pas réussi à garder les Néo-Écossais au sein du Canada lorsqu'ils ont failli changer d'avis juste après leur adhésion à l'union.

Biographie

Naissance : le 2 juillet 1821, à Amherst (Nouvelle-Écosse)

Parti : conservateur

État civil : marié à Frances Morse en 1846 (six enfants)

Profession : médecin

Vie politique : élu à l'Assemblée législative de la Nouvelle-Écosse (1855) ; premier ministre de la Nouvelle-Écosse (1864-1867) ; député de Cumberland (Nouvelle-Écosse) (1867-1884 et 1887-1888) ; député de Cap-Breton (Nouvelle-Écosse) (1896-1900) ; chef des conservateurs (1896-1901)

Premier ministre : du 1er mai au 8 juillet 1896

Décès : le 30 octobre 1915, à Bexley Heath (Grande-Bretagne)

Au service du Canada

Tupper était un membre important du gouvernement de Macdonald. Il a conclu une entente avec Louis Riel (voir page 10) qui a conduit le Manitoba à se joindre au Canada et, en tant que ministre des Chemins de fer (1879-1884), il s'est assuré de l'achèvement du chemin de fer du Canadien Pacifique.

Chacun son tour

Certains pensaient que Tupper remplacerait Macdonald à sa mort, mais c'est Abbott qui a hérité du poste. Puis Tupper a été écarté au profit de Thompson et de Bowell. Il est rentré de Grande-Bretagne, où il était Haut-commissaire du Canada, pour prendre part à la révolte du Cabinet qui a forcé Bowell à céder son poste (voir page 17). Tupper est finalement devenu premier ministre en 1896.

Un court mandat

Le gouvernement étant au pouvoir depuis cinq ans, Tupper devait déclencher une élection. Les conservateurs étaient divisés sur la question des écoles du Manitoba (voir page 21) et ils faisaient face au populaire chef du Parti libéral, Wilfrid Laurier. Les libéraux ont gagné et Tupper a dû céder son poste.

LE SAVIEZ-VOUS?

Les 69 jours de Tupper au pouvoir constituent le plus court mandat d'un premier ministre canadien.

SIR Wilfrid Laurier

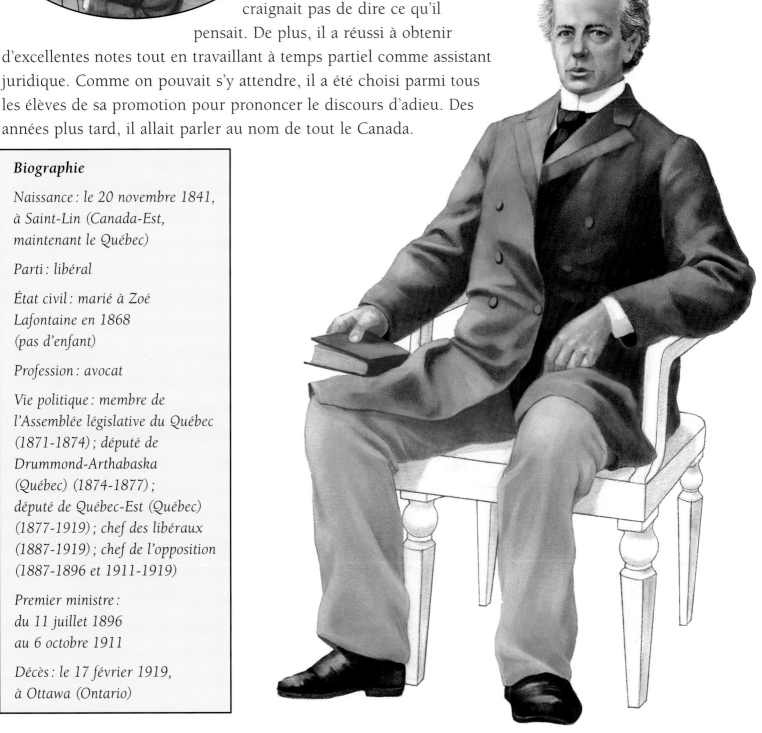

Il était évident aux yeux des professeurs et des amis de Wilfrid Laurier à l'Université McGill que ce dernier irait loin. Séduisant et charmeur, il parlait couramment le français et l'anglais et ne craignait pas de dire ce qu'il pensait. De plus, il a réussi à obtenir d'excellentes notes tout en travaillant à temps partiel comme assistant juridique. Comme on pouvait s'y attendre, il a été choisi parmi tous les élèves de sa promotion pour prononcer le discours d'adieu. Des années plus tard, il allait parler au nom de tout le Canada.

« LE CANADA EST LA SOURCE D'INSPIRATION DE MA VIE. »

Laurier, 1911

Biographie

Naissance : le 20 novembre 1841, à Saint-Lin (Canada-Est, maintenant le Québec)

Parti : libéral

État civil : marié à Zoé Lafontaine en 1868 (pas d'enfant)

Profession : avocat

Vie politique : membre de l'Assemblée législative du Québec (1871-1874) ; député de Drummond-Arthabaska (Québec) (1874-1877) ; député de Québec-Est (Québec) (1877-1919) ; chef des libéraux (1887-1919) ; chef de l'opposition (1887-1896 et 1911-1919)

Premier ministre : du 11 juillet 1896 au 6 octobre 1911

Décès : le 17 février 1919, à Ottawa (Ontario)

Un nouvel essor

Les années Laurier ont été une période excitante pour le Canada. Des milliers d'immigrants se sont installés dans l'Ouest, transformant la plus grande partie des prairies en champs de blé. On extrayait de l'or et d'autres minéraux dans le Nord, et la construction de deux nouveaux chemins de fer transcanadiens était commencée. Pourtant, ces temps prospères amenaient leur lot de problèmes. Bien des gens devaient travailler de longues heures pour de maigres salaires dans des manufactures peu sûres.

Pour mieux régler les conflits et améliorer les conditions de travail, Laurier a créé le premier ministère du Travail du Canada.

Au début des années 1900, la Grande-Bretagne voulait intervenir pour inciter les pays de l'empire britannique, dont le Canada, à collaborer davantage. Laurier a répliqué en affirmant que le Canada pouvait prendre ses propres décisions et que la Grande-Bretagne devrait traiter ces nations comme des pays libres. Il a constitué le premier ministère des Affaires extérieures de sorte que le Canada puisse recueillir ses propres informations (et pas seulement celles de la Grande-Bretagne) sur ce qui se passait dans le reste du monde.

En 1910, le gouvernement de Laurier a adopté un projet de loi pour la création de la Marine royale du Canada. Parce qu'elle ne comptait au début que quelques navires, bon nombre de Canadiens anglais l'ont ridiculisée en la traitant de « marine de fer-blanc ». Quant aux Canadiens français, ils croyaient que ce n'était qu'une autre tentative de venir en aide à la Grande-Bretagne en guerre. Pour Laurier, toutefois, c'était un signe de l'indépendance grandissante du Canada. Il a également encouragé l'exploration de l'Arctique et il a envoyé la Royale gendarmerie à cheval du Nord-Ouest dans la région pour empêcher les États-Unis de réclamer le territoire à l'est de l'Alaska.

Ses débuts en politique

Laurier a rapidement acquis une
réputation de brillant avocat et orateur.
Alors qu'il était en quête d'un siège à
l'Assemblée législative du Québec en
1871, il n'a pas caché qu'il croyait que
chacun devait être libre de voter pour
qui bon lui semble. Cette déclaration
n'a pas plu à certains membres influents
du clergé catholique au Québec. Ces
derniers ont sommé les catholiques de
ne pas voter pour des libéraux libres
penseurs tels que Laurier. Malgré tout,
les catholiques et les protestants

anglophones ont voté pour lui. En
1874, il a été élu député. Treize ans
plus tard, il est devenu chef des
libéraux. Après des années dans
l'opposition, les libéraux de Laurier ont
enfin défait les conservateurs en 1896.
Laurier est premier ministre.

Une question délicate

Laurier était fier d'être le premier
francophone à devenir premier ministre
du Canada. Il rêvait d'un Canada uni,
d'un pays qui ne serait plus divisé par
la langue et la religion. Durant la

campagne électorale, il avait promis de
trouver un compromis pour régler la
question de la fermeture des écoles
catholiques du Manitoba. Une fois
premier ministre, Laurier a proposé
un arrangement qui permettait
l'enseignement de la religion à la fin de
la journée d'école et celui du français là
où il y avait suffisamment d'élèves
francophones. Les francophones
catholiques estimaient que Laurier avait
fait trop peu et le Manitoba a fini par
rejeter la proposition. Laurier est tout
de même parvenu à calmer les esprits
pendant quelque temps.

Qui est en guerre ?

En 1899, la Grande-Bretagne voulait
que les soldats canadiens lui viennent
en aide dans la guerre des Boers, en
Afrique du Sud. Laurier a accepté de
payer pour les hommes qui se portaient
volontaires, mais il a refusé de forcer
les Canadiens à aller au front.
Beaucoup de Canadiens anglais
considéraient que cela ne suffisait pas,
tandis que bon nombre de Canadiens
français soutenaient que le Canada
n'avait pas à s'impliquer dans les
guerres de la Grande-Bretagne.

L'or du Yukon et le blé des Prairies

En 1896, on a découvert de l'or au Klondike et les gens se ruaient vers le Nord en espérant y faire fortune. Le gouvernement de Laurier encourageait aussi la population à s'installer dans l'Ouest en offrant des terres gratuites aux colons qui acceptaient d'y établir une ferme. Des milliers de familles prêtes à travailler dur sont arrivées d'Europe pour commencer une nouvelle vie, la plupart comme producteurs de blé.

La perte du pouvoir

En 1910, près de 8 000 fermiers ont manifesté à Ottawa pour exiger une hausse des prix du blé. L'année suivante, Laurier a conclu avec les États-Unis une entente commerciale qui venait en aide aux fermiers, mais qui mécontentait les commerçants de l'Est. Les conservateurs qui s'opposaient au libre-échange étaient furieux. Ils ont juré de vaincre Laurier et de faire échouer ses projets commerciaux. Lors de la campagne électorale de 1911, ils se sont attaqués «au commerce avec les Yankees» et «à la marine de fer-blanc» et ils ont gagné.

Dans l'opposition

Les discours passionnés de Laurier comme chef de l'opposition faisaient souvent la vie dure au nouveau premier ministre Robert Borden. Pourtant, pendant la Première Guerre mondiale, Laurier a collaboré avec Borden pour soutenir l'effort de guerre du Canada. De plus, en 1916, il a accordé son appui au gouvernement d'union de Borden afin que les Canadiens n'aient pas à batailler pour gagner une élection en temps de guerre. En 1917,

cependant, Borden a proposé la conscription, qui forçait les hommes à s'enrôler. Sachant à quel point les Canadiens français répugnaient à cette idée, Laurier s'est opposé au projet de loi. Beaucoup de Canadiens anglais étaient indignés. À l'élection de 1917, les libéraux ont été défaits partout, sauf au Québec. Profondément attristé, Laurier est demeuré chef de l'opposition jusqu'à sa mort, en 1919.

D'AUTRES FAITS MARQUANTS
- *a créé le Territoire du Yukon et sa capitale, Dawson, en 1898;*
- a créé les provinces de la Saskatchewan et de l'Alberta en 1905.

SIR Robert Laird Borden

Les corvées de la ferme ont tenu Robert Laird Borden à l'écart de l'école quand il était enfant. Malgré tout, il a trouvé le temps d'étudier à la maison et, à l'âge de 14 ans, il fréquentait l'école régulièrement... comme enseignant. Six ans plus tard, il était stagiaire en droit et est devenu par la suite directeur de l'un des plus prestigieux cabinets d'avocats de Nouvelle-Écosse. Il a également été député, président de banque et auteur. Il a remplacé sir Charles Tupper comme chef des conservateurs et il a été premier ministre durant l'une des périodes les plus difficiles qu'ait traversées le Canada.

Porté au pouvoir

Après avoir été défait par Laurier en 1904, Borden était déterminé à trouver les points faibles de son adversaire afin de lui faire perdre de sa popularité. En 1911, c'était chose faite. La nouvelle Marine créée par Laurier mécontentait à la fois les Canadiens français et les Canadiens anglais. Borden a su tirer parti de cette situation pour creuser un fossé entre les sympathisants libéraux. Il a également entretenu la vieille crainte des Canadiens, qui redoutaient d'être annexés aux États-Unis, en se prononçant contre le traité de réciprocité (libre-échange). Son approche consistant à diviser pour mieux régner a été efficace. Il était au pouvoir, Laurier n'y était plus, l'entente de réciprocité était annulée et les projets d'expansion de la Marine canadienne étaient en veilleuse.

« IL A BIEN SERVI SON PAYS. »

Arthur Meighen, 1960

Le portrait de Borden apparaît sur les billets de cent dollars.

Biographie

Naissance : le 26 juin 1854, à Grand Pré, en Nouvelle-Écosse

Parti : conservateur

État civil : marié à Laura Bond en 1889 (pas d'enfant)

Profession : enseignant, avocat

Vie politique : député d'Halifax (Nouvelle-Écosse) (1896-1904) ; chef des conservateurs (1901-1920) ; député de Carleton (Ontario) (1905-1908) ; député de Halifax (Nouvelle-Écosse) (1908-1917) ; député de King's County (Nouvelle-Écosse) (1917-1920)

Premier ministre : du 10 octobre 1911 au 10 juillet 1920

Décès : le 10 juin 1937, à Ottawa (Ontario)

Le Canada en guerre, 1914-1918

Lorsque la Grande-Bretagne a déclaré la guerre à l'Allemagne au mois d'août 1914, le Canada aussi entrait en guerre et les Canadiens se sont unis derrière Borden. Ce dernier a fait adopter la Loi sur les mesures de guerre, qui permettait au gouvernement de prendre des décisions rapidement sans l'approbation du Parlement. Quand il a annoncé que le Canada enverrait un demi-million de soldats en Europe, des milliers de jeunes hommes se sont portés volontaires. Borden a financé l'effort de guerre en taxant les profits des compagnies fabriquant du matériel de guerre. En 1917, il a créé le premier impôt sur le revenu, qui devait être temporaire.

Critiques et louanges

Certaines personnes se sont enrichies en vendant au gouvernement des armes, des bottes, des balles et des cartouches de mauvaise qualité. De tels procédés ont coûté la vie à des soldats et Borden en a porté le blâme. Il a essuyé plus de critiques encore en 1917 lorsque sa décision d'imposer la conscription (voir page 22) a divisé le pays. En revanche, Borden a été louangé pour la façon dont il avait traité avec la Grande-Bretagne durant la guerre. En 1917, il a convaincu la Grande-Bretagne que le Canada et les autres pays du Commonwealth devaient être considérés comme des partenaires égaux, non comme des colonies sous contrôle britannique. Le premier ministre du Canada était devenu un leader mondial.

Le droit de vote

Avant de déclencher l'élection de 1917, Borden a accordé le droit de vote aux femmes des forces armées, de même qu'aux épouses, mères, filles et veuves de militaires. Par contre, il a retiré le droit de vote à de nombreux immigrants venus au Canada après 1902. Il a ensuite conduit une alliance de conservateurs et de libéraux en faveur de la conscription à la victoire contre Laurier.

Diriger un gouvernement d'union

C'est une période tumultueuse qui attendait le gouvernement d'union de Borden. En 1918, après de nombreuses manifestations, Borden a finalement accordé le droit de vote à toutes les femmes de 21 ans et plus. En mai 1919, plus de 30 000 travailleurs ont paralysé la ville de Winnipeg lors de la première grève générale au pays. La décision du gouvernement de demander l'intervention de la Royale gendarmerie à cheval du Nord-Ouest pour les forcer à retourner au travail a suscité la colère de nombreux travailleurs. En 1920, malade et épuisé, Borden démissionne comme premier ministre.

La grève générale de Winnipeg

Arthur Meighen

Comme Borden, le premier ministre à qui il a succédé, Arthur Meighen était un garçon de ferme sans le sou qui a travaillé dur pour obtenir ce qu'il avait. Doté d'un esprit vif et d'une mémoire exceptionnelle, il pouvait réciter de longs passages de l'œuvre de Shakespeare. Meighen affectionnait particulièrement les débats, pour lesquels il était doué. Cependant, comme il l'a vite appris une fois premier ministre, les actes sont plus éloquents que les paroles.

Un chef impopulaire

Chef des conservateurs, Meighen n'était

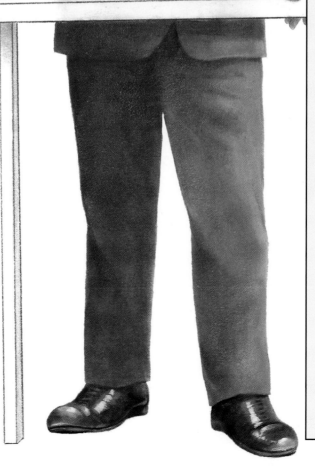

pas populaire auprès des électeurs en 1920. Il s'était mis à dos de nombreux Canadiens français en appuyant la conscription (voir page 22). Il avait recommandé l'usage de la force pour mettre fin à la grève de Winnipeg (voir page 24). Son projet de créer les Chemins de fer nationaux en reprenant quelques compagnies de chemin de fer privées, en 1919, avait pour plusieurs l'apparence d'une manœuvre déloyale visant à enrichir quelques propriétaires de chemin de fer déjà bien nantis. Enfin, des fermiers mécontents adhéraient à un nouveau parti politique, le Parti progressiste.

Face à la défaite

Malgré tout, Meighen a continué à se battre. Pendant la campagne électorale de décembre 1921, les conservateurs disaient : « Le Canada a besoin de Meighen. » Une majorité de Canadiens n'étaient pas de cet avis et ont élu les libéraux de Mackenzie King.

Un bref retour

En 1926, le scandale des douanes a forcé les libéraux à démissionner. Meighen est redevenu premier ministre, mais son nouveau gouvernement n'a siégé que quelques mois. Il a tenté un retour en 1942, mais il n'a même pas été élu député.

Biographie

Naissance : le 16 juin 1874, à Anderson (Ontario)

Parti : conservateur

État civil : marié à Isabel J. Cox en 1904 (trois enfants)

Profession : enseignant, avocat

Vie politique : député de Portage la Prairie (Manitoba) (1908-1921 et 1925-1926) ; député de Grenville (Ontario) (1922-1925) ; chef des conservateurs (1920-1926 et 1941-1942) ; sénateur (1932-1942)

Premier ministre : du 10 juillet 1920 au 29 décembre 1921 ; du 29 juin 1926 au 25 septembre 1926

Décès : le 5 août 1960, à Toronto (Ontario)

William Lyon Mackenzie King

Le jeune « Willie » King a grandi en entendant le récit des aventures de son grand-père, dont il avait reçu le nom. Sa mère lui racontait comment son père, William Lyon Mackenzie, était devenu le premier maire de Toronto, comment il avait mené la rébellion de 1837 dans le Haut-Canada (aujourd'hui l'Ontario), comment il avait réussi à s'enfuir aux États-Unis et était revenu au Canada après avoir été gracié. Mackenzie King a grandi en se demandant de quelle façon il pourrait à son tour servir son pays.

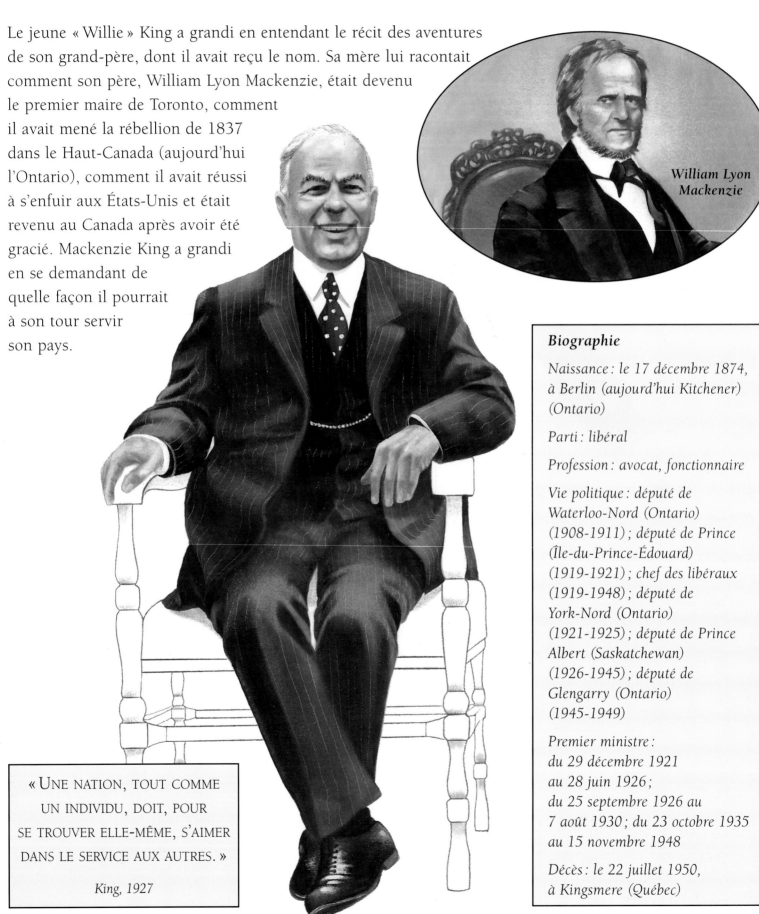

William Lyon Mackenzie

« UNE NATION, TOUT COMME UN INDIVIDU, DOIT, POUR SE TROUVER ELLE-MÊME, S'AIMER DANS LE SERVICE AUX AUTRES. »

King, 1927

Biographie

Naissance : le 17 décembre 1874, à Berlin (aujourd'hui Kitchener) (Ontario)

Parti : libéral

Profession : avocat, fonctionnaire

Vie politique : député de Waterloo-Nord (Ontario) (1908-1911) ; député de Prince (Île-du-Prince-Édouard) (1919-1921) ; chef des libéraux (1919-1948) ; député de York-Nord (Ontario) (1921-1925) ; député de Prince Albert (Saskatchewan) (1926-1945) ; député de Glengarry (Ontario) (1945-1949)

Premier ministre : du 29 décembre 1921 au 28 juin 1926 ; du 25 septembre 1926 au 7 août 1930 ; du 23 octobre 1935 au 15 novembre 1948

Décès : le 22 juillet 1950, à Kingsmere (Québec)

En tant que ministre du Travail, King se préoccupait des conditions de travail dans les manufactures.

Un lieutenant au Québec

En 1921, King a pris une heureuse décision en nommant le député Ernest Lapointe, du Québec, membre de son Cabinet. King ne parlait pas français, mais il savait à quel point il était

important que le pays et son parti comprennent les besoins et les désirs des Canadiens français. Au cours des 20 années qui ont suivi, Lapointe a judicieusement conseillé King sur les attentes du Québec envers le gouvernement.

En minorité

Après quatre ans au pouvoir, King a annoncé une élection. En octobre 1925, les conservateurs ont remporté 116 sièges contre seulement 99 pour les libéraux de King. Celui-ci a quand même pu demeurer premier ministre grâce à l'appui des progressistes, qui détenaient 24 sièges. Toutefois, si les progressistes s'étaient retournés contre lui, les autres partis en Chambre auraient pu le mettre en minorité. C'est ce qui a failli survenir en juin 1926.

Sur le chemin du succès

King a étudié l'économie et le droit et il est devenu expert en relations industrielles, branche qui concerne les rapports entre patrons et employés. En 1900, il a été engagé pour diriger le nouveau ministère du Travail du gouvernement. Impressionné par son rendement, sir Wilfrid Laurier lui a demandé de se présenter comme député aux élections de 1908. Après sa victoire, Laurier l'a nommé ministre du Travail.

Un chef élu

En 1919, le Parti libéral a été le premier parti politique à organiser un congrès au leadership. King a remporté la course à la direction du parti. À l'élection de 1921, il a affronté Arthur Meighen, son ancien adversaire à l'époque des débats oratoires à l'université. King a promis de réduire les tarifs protectionnistes (taxes) sur les marchandises provenant des États-Unis et de présenter un régime de pensions de vieillesse pour aider les personnes âgées dans le besoin. Meighen

était meilleur orateur que King, mais les électeurs ont préféré les propos de ce dernier et l'ont élu premier ministre.

Une mince majorité, 1921-1926

Au début, King n'a pas entrepris de grandes réformes. Les libéraux détenaient un seul siège de plus que les conservateurs et les députés du nouveau Parti progressiste réunis. King devait plutôt s'efforcer de contenter tout le monde. Il a réduit les coûts de transport par train de marchandises ainsi que les taxes sur les denrées américaines afin de s'assurer que les États-Unis acceptaient d'acheter du blé canadien. De plus, King a diminué l'importante dette contractée par le Canada durant la Première Guerre mondiale. En 1925, il a fait adopter à la Chambre des communes un projet de loi allouant aux Canadiens démunis et âgés de plus de 70 ans une pension de 20 $ par mois, dont le coût serait assumé à la fois par Ottawa et par les provinces. Néanmoins, la loi a été rejetée par le Sénat.

La Seconde Guerre mondiale

La Grande-Bretagne et la France ont déclaré la guerre à l'Allemagne le 3 septembre 1939 et, avec l'approbation du Parlement, le Canada est entré en guerre le 10 septembre. À ce moment-là, King avait promis qu'il n'y aurait pas de conscription pour forcer les Canadiens à aller au front, car un grand nombre d'entre eux s'étaient portés volontaires.

Les années de guerre, de 1939 à 1945, ont entraîné le plein-emploi de même qu'un prodigieux boum commercial au Canada. Il n'en demeure pas moins qu'un million de braves Canadiens sont partis combattre outre-mer. Plus de 42 000 d'entre eux y ont perdu la vie. Le gouvernement a augmenté les taxes et a emprunté pour financer l'armée. On a instauré le rationnement de l'alimentation et de l'essence pour s'assurer que les troupes étaient nourries et que leurs véhicules pouvaient être ravitaillés.

En 1942, craignant que certains Canadiens d'origine japonaise ne restent pas loyaux au Canada, le gouvernement leur a ordonné de quitter leur foyer et les a installés dans des camps spéciaux jusqu'à la fin de la guerre. La même année, King a tenu un vote spécial, appelé plébiscite, pour demander à la population de le délier de sa promesse de ne pas forcer les Canadiens à servir à l'étranger. Beaucoup de Québécois ont voté contre la conscription, mais une majorité de Canadiens y ont répondu favorablement. King a tenté de se débrouiller uniquement avec des volontaires, mais, à la fin de 1944, il a convenu avec des conseillers militaires que la conscription était nécessaire.

Vers la fin de la guerre, le Canada comptait parmi les pays qui consacraient beaucoup d'efforts à l'établissement de l'Organisation des Nations Unies, formée pour encourager la paix, la sécurité et la coopération entre ses membres. Lorsque la guerre a finalement pris fin le 14 août 1945, les Canadiens étaient prêts à relever le défi de faire la paix, avec King à leur tête.

Les contrebandiers ont trouvé plusieurs moyens ingénieux d'introduire de l'alcool illégalement aux États-Unis.

L'affaire King-Byng

En 1926, il existait une loi interdisant l'alcool aux États-Unis. À cette époque, des douaniers canadiens malhonnêtes acceptaient de l'argent des contrebandiers qui faisaient entrer illégalement de l'alcool aux États-Unis. Lorsque le scandale a été mis au jour, une majorité de députés, dirigés par le chef de l'opposition, Meighen, ont demandé un vote pour démontrer qu'ils ne faisaient plus confiance au gouvernement. Sachant qu'un tel vote allait faire tomber son gouvernement, King a demandé au gouverneur général Byng de plutôt dissoudre le Parlement et d'annoncer une nouvelle élection. Byng a refusé, King a démissionné et on a demandé à Meighen de former un nouveau gouvernement. Cependant, le gouvernement minoritaire de Meighen a été défait par les libéraux et les progressistes seulement trois jours plus tard et on a quand même dû déclencher une élection.

LE SAVIEZ-VOUS?

King est le premier ministre du Canada qui est demeuré le plus longtemps en poste et le seul à détenir un doctorat.

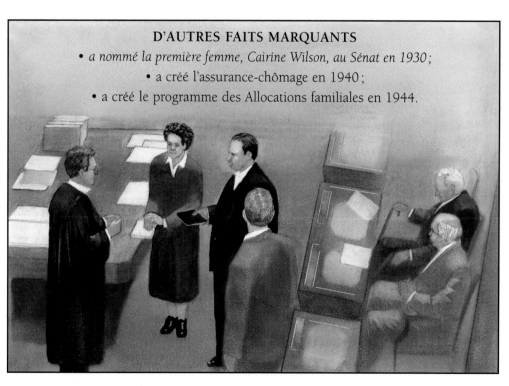

D'AUTRES FAITS MARQUANTS
- *a nommé la première femme, Cairine Wilson, au Sénat en 1930;*
- *a créé l'assurance-chômage en 1940;*
- *a créé le programme des Allocations familiales en 1944.*

En majorité

Après avoir gagné sa troisième élection en 1926, King a de nouveau présenté son régime de pensions de vieillesse. Cette fois, le Sénat a approuvé le projet de loi. La même année, il a assisté à la Conférence impériale en Grande-Bretagne, où il a déclaré avec fermeté que le Canada était un pays indépendant et que c'était au Parlement que les décisions concernant les affaires extérieures du Canada seraient prises.

De plus, lorsque certains premiers ministres provinciaux ont demandé la contribution financière d'Ottawa pour aider les sans-emploi, King a répondu qu'il n'interviendrait pas dans les provinces dirigées par des conservateurs. Furieux, les électeurs de ces provinces se sont rangés du côté des conservateurs de R. B. Bennett et les libéraux ont été défaits lors de l'élection de 1930.

Dans l'opposition

Il était beaucoup plus facile d'être chef de l'opposition que premier ministre durant les « sales années trente », au cours desquelles tellement de gens étaient sans travail (voir page 32). Malgré tout, King a connu des ennuis lorsqu'une enquête a démontré qu'une compagnie construisant une centrale électrique sur le fleuve Saint-Laurent avait versé 700 000 $ au Parti libéral. King lui-même a été accusé d'avoir empoché quelques centaines de dollars, mais il a été blanchi de tout soupçon. Humilié, King a promis à la Chambre qu'il allait mettre de l'ordre au sein du Parti libéral et il a continué à faire opposition aux conservateurs.

De retour au pouvoir

Lorsque King a repris le pouvoir en 1935, le Canada avait désespérément besoin d'un premier ministre qui pouvait unifier le pays. Les problèmes de la crise de 1929 n'étaient toujours pas résolus et la menace d'une Seconde Guerre mondiale planait. King était prêt à relever le défi.

Un dernier mandat

En juin 1945, King a remporté une sixième élection contre les conservateurs (devenus les progressistes-conservateurs). Il est demeuré en poste pendant encore trois ans avant de se retirer dans la propriété qui lui était chère, à Kingsmere, près de Hull (Québec). King est décédé en 1950. Il a légué par testament son domaine de 240 hectares (595 acres) de Kingsmere au patrimoine canadien.

King et son chien, Pat

Richard Bedford Bennett

> « LES CANADIENS ONT DROIT À UNE RADIODIFFUSION DE SOURCE CANADIENNE, ÉGALE À TOUS ÉGARDS À CELLE DE TOUT AUTRE PAYS. »
>
> *Bennett, 1932*

Richard Bedford Bennett est né au Nouveau-Brunswick et a étudié le droit en Nouvelle-Écosse. Par la suite, ce jeune avocat est déménagé à Calgary où il est devenu homme d'affaires et millionnaire. Bennett faisait preuve d'un certain snobisme au sujet de son succès. Parce qu'il avait travaillé dur et avait réussi, il était persuadé que le succès était à la portée de tous. Par ailleurs, il croyait que les gens riches devaient apporter une contribution à leur pays. C'est pourquoi il s'est présenté au Parlement et a consacré d'importantes sommes d'argent à aider les conservateurs. En 1927, il est devenu le premier chef élu par les conservateurs lors du premier congrès à la direction du parti.

Des temps difficiles

Bennett était fin prêt à former le gouvernement lorsque les libéraux de King ont perdu en 1930. Malheureusement, les temps étaient durs quand il est devenu premier ministre. Pendant la période qu'on a appelée la crise de 1929, des milliers de Canadiens ont perdu leur emploi, les fermiers étaient ruinés et les commerces fermaient leurs portes parce que la population n'avait plus d'argent à dépenser. Étant aux prises avec les mêmes problèmes, les partenaires commerciaux du Canada, notamment les États-Unis, achetaient beaucoup moins de blé, de bois, de poisson et de pâte à papier du Canada.

Biographie

Naissance : le 3 juillet 1870, à Hopewell Hill (Nouveau-Brunswick)

Parti : conservateur

Profession : enseignant, avocat

Vie politique : élu à l'Assemblée législative des Territoires du Nord-Ouest (1898) ; député de Calgary-Est (Alberta) (1911-1917) ; député de Calgary-Ouest (Alberta) (1925-1939) ; chef des conservateurs (1927-1938)

Premier ministre : du 7 août 1930 au 23 octobre 1935

Décès : le 26 juin 1947, à Mickleham (Surrey, Grande-Bretagne)

La crise de 1929

En 1932, plus de 600 000 Canadiens étaient sans emploi. Le mauvais temps, la rouille du blé et les invasions de sauterelles sont venus hanter les agriculteurs des prairies. Des gens affamés faisaient la queue dans les soupes populaires pour avoir à manger. Des milliers d'hommes montaient à bord de trains de marchandises, parcourant le pays à la recherche d'un emploi. Des familles ont été jetées à la rue parce qu'elles ne pouvaient plus payer leurs factures. La colère et le désespoir balayaient le pays.

En quête de solutions

Bennett a remis aux provinces des sommes supplémentaires pour aider les gens dans le besoin. L'argent, versé sous forme d'allocations, était distribué au compte-gouttes. Bennett a également mis en branle quelques projets de construction du gouvernement afin de créer des emplois et il a établi des camps où les hommes célibataires travaillaient pour 20 cents par jour en échange de nourriture et d'un endroit où dormir.

Un changement de cap

Toutefois, la crise des « sales années trente » se prolongeait. En 1935, année d'élection, Bennett a créé la Commission canadienne du blé pour aider les fermiers à vendre leurs récoltes à des prix décents. De plus, Bennett a fait quelque chose qu'aucun autre premier ministre n'avait encore fait : il s'est adressé directement aux Canadiens par le biais d'émissions radiophoniques, leur faisant part de ses projets pour le Canada. Ceux-ci ont surpris même les conservateurs. Bennett a promis aux Canadiens qu'il irait de l'avant avec des idées qu'il considérait auparavant comme mauvaises, le salaire minimum et l'assurance-chômage, par exemple.

La défaite et l'exil

Cependant, les gens se souvenaient des paroles de Bennett qui leur avait dit qu'ils n'auraient pas eu besoin de toute cette aide s'ils avaient travaillé plus fort. De leur côté, les conservateurs reprochaient à Bennett de vouloir diriger le pays tout seul. L'élection de l'automne a été un désastre. Les libéraux ont remporté 171 des 245 sièges et les conservateurs, seulement 39. Aigri, Bennett a quitté la politique en 1938. Un an plus tard, il s'est installé en Grande-Bretagne où certains de ses amis haut placés l'ont fait nommer membre de la Chambre des lords du Royaume-Uni. Bennett est mort en Grande-Bretagne en 1947.

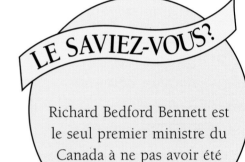

LE SAVIEZ-VOUS?

Richard Bedford Bennett est le seul premier ministre du Canada à ne pas avoir été inhumé au Canada.

D'AUTRES FAITS MARQUANTS
- *a créé la Commission canadienne de la radiodiffusion (qui deviendra la CBC) pour donner aux Canadiens leurs propres stations et émissions radiophoniques, en 1932 ;*
- *a créé la Banque du Canada pour en faire la banque centrale du gouvernement fédéral, en 1935.*

Louis Stephen Saint-Laurent

En 1941, Louis Saint-Laurent avait 59 ans et était un avocat de droit commercial réputé. Lui et son épouse profitaient de la compagnie de leurs petits-enfants et menaient une vie calme et confortable. Mais voilà que le premier ministre Mackenzie King était au téléphone et demandait à Saint-Laurent de tout laisser tomber pour devenir son ministre de la Justice. La politique fédérale n'était pas un secteur d'emploi très populaire auprès des Québécois à cette époque. Toutefois, lorsque le devoir l'appelait, Saint-Laurent répondait. « Oncle Louis » était en voie de devenir le deuxième premier ministre francophone du Canada.

> « JE NE CONNAIS RIEN À LA POLITIQUE ET JE N'AI JAMAIS EU AFFAIRE À DES POLITICIENS. »
>
> *Saint-Laurent, 1941*

Un successeur

King respectait son brillant ministre de la Justice. En 1946, alors que les nations s'affairaient toujours à rétablir l'ordre après le chaos de la Seconde Guerre mondiale, il a nommé Saint-Laurent au poste de secrétaire d'État aux Affaires extérieures. Il s'agissait d'une première au Canada. Jusqu'alors, les premiers ministres s'étaient chargés eux-mêmes du ministère des Affaires extérieures. Avant de se retirer en 1948, King a laissé entendre aux libéraux que Saint-Laurent était l'homme tout désigné pour le remplacer. Ils ont suivi son conseil et Saint-Laurent a gagné l'élection de 1949 avec une écrasante majorité.

Biographie

Naissance : le 1er février 1882, à Compton (Québec)

Parti : libéral

État civil : marié à Jeanne Renault en 1908 (cinq enfants)

Profession : avocat

Vie politique : député de Québec-Est (Québec) (1942-1958) ; chef des libéraux (1948-1958)

Premier ministre : du 15 novembre 1948 au 21 juin 1957

Décès : le 25 juillet 1973 à Québec (Québec)

Du pain sur la planche

En 1949, le gouvernement de Saint-Laurent a adopté la Loi sur la route transcanadienne, qui proposait aux provinces de partager en deux les coûts d'aménagement d'une autoroute d'un océan à l'autre. La même année, Saint-Laurent et le chef du gouvernement de Terre-Neuve, Joey Smallwood, se sont mis d'accord sur les conditions de l'union de Terre-Neuve à la Confédération, prévue le 31 mars. De plus, en avril 1949, Saint-Laurent a favorisé la participation du Canada à l'OTAN (Organisation du traité de l'Atlantique Nord) nouvellement formée.

La guerre de Corée

En 1950, le Canada a accepté de se joindre à une force des Nations Unies dirigée par les Américains pour empêcher les communistes de la Corée du Nord de prendre possession de la Corée du Sud. À la fin de la guerre en 1953, on comptait plus de 300 Canadiens tués et 1 200 blessés. Saint-Laurent a également accepté d'envoyer des troupes canadiennes en Égypte pour prendre part à la première mission de paix de l'ONU en 1956 (voir page 37).

La voie maritime du Saint-Laurent

Depuis un certain temps, les États-Unis et le Canada envisageaient la construction de la voie maritime du Saint-Laurent pour permettre la circulation de gros bateaux sur les Grands Lacs. Saint-Laurent était prêt à agir et, en 1951, il a menacé d'aménager tous les nouveaux canaux, écluses et barrages du côté canadien du fleuve. Cela a permis de faire progresser les discussions et, en 1954, les États-Unis ont enfin accepté de partager les coûts et services.

Limite de temps

En 1956, les libéraux ont proposé de construire un gazoduc qui transporterait le gaz naturel de l'Alberta jusque dans l'Est. Pour accélérer les démarches au Parlement, le gouvernement a limité la durée du débat en Chambre. Les conservateurs ont déclaré que les libéraux étaient au pouvoir depuis si longtemps qu'ils ne respectaient plus le Parlement ni la volonté de la population. Les libéraux de Saint-Laurent ont perdu l'élection suivante. Saint-Laurent avait 75 ans quand il s'est retiré en janvier 1958. Quelques années plus tard, on lui a demandé quel était le secret de son excellente santé. Il a répondu : « Être battu aux élections. »

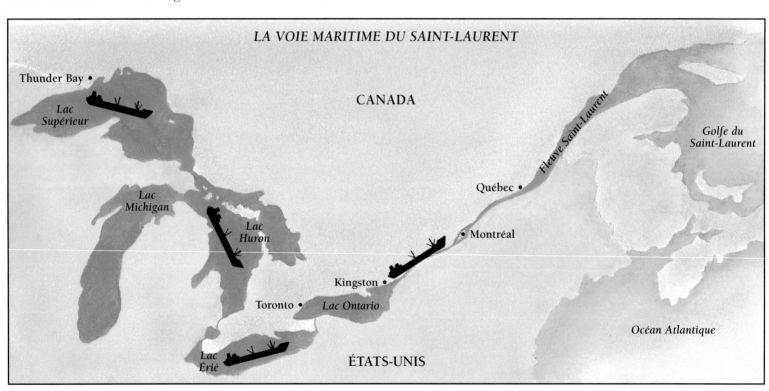

LA VOIE MARITIME DU SAINT-LAURENT

CANADA

Thunder Bay

Lac Supérieur

Lac Michigan

Lac Huron

Toronto

Kingston

Lac Ontario

Lac Érié

ÉTATS-UNIS

Fleuve Saint-Laurent

Québec

Montréal

Golfe du Saint-Laurent

Océan Atlantique

D'AUTRES FAITS MARQUANTS

• a introduit le régime de pensions de vieillesse pour toutes les personnes de 70 ans et plus, et pour les personnes âgées de 65 à 69 ans dans le besoin, en 1951 ;
• *a nommé le premier gouverneur général né au Canada, Vincent Massey, en 1952 ;*
• a mis sur pied la Bibliothèque nationale à Ottawa pour conserver des exemplaires de tous les ouvrages publiés au Canada, en 1953 ;
• a créé le ministère des Affaires du Nord canadien, en 1953.

John George Diefenbaker

En juillet 1910, John Diefenbaker, 14 ans, vendait des journaux à la gare de Saskatoon lorsque sir Wilfrid Laurier est débarqué d'un train. Le premier ministre s'est arrêté pour lui acheter un journal et bavarder avec lui. Au bout d'une demi-heure, John a dit : « Monsieur le premier ministre, il faut que j'y aille. Je dois livrer mes journaux. » Plus tard, Laurier a dit à ceux qui avaient assisté à la scène :

« Vous avez des crieurs de journaux remarquables ici. » Presque 50 ans plus tard, ce « remarquable crieur de journaux » allait devenir premier ministre.

Un long chemin jusqu'au pouvoir

Diefenbaker avait la réputation d'être un excellent avocat quand il s'est présenté au Parlement pour la première fois en 1925. Il a perdu cette élection ainsi que la suivante en 1926, tout comme les élections provinciales de 1929 et de 1938. Il a finalement décroché un siège au Parlement en 1940. Diefenbaker s'est aussi présenté deux fois à la direction de son parti, en 1942 et 1948, avant d'être élu en 1956. En juin 1957, Diefenbaker a mené les conservateurs à leur première victoire en 27 ans. Pourtant, n'étant pas majoritaire à la Chambre, il a déclenché une autre élection en 1958 et a obtenu une majorité sans précédent, soit 208 sièges sur 265.

Biographie

Naissance : le 18 septembre 1895 à Neustadt (Ontario)

Parti : conservateur

État civil : marié à Edna Brower en 1929 ; veuf en 1951 ; remarié à Olive Palmer en 1953 (une belle-fille)

Profession : avocat

Vie politique : député de Lake Centre (Saskatchewan) (1940-1953) ; député de Prince Albert (Saskatchewan) (1953-1979) ; chef des conservateurs (1956-1967)

Premier ministre : du 21 juin 1957 au 22 avril 1963

Décès : le 16 août 1979, à Ottawa (Ontario)

« LE PARLEMENT EST L'ENDROIT OÙ VOTRE LIBERTÉ ET LA MIENNE SONT MAINTENUES ET PRÉSERVÉES. »
Diefenbaker, 1972

Le « Chef »

Lors de sa première campagne électorale à la tête des conservateurs, Diefenbaker a promis aux Canadiens de nouvelles routes, de nouveaux villages et des emplois dans les mines du Nord, une aide accrue aux fermiers, de meilleurs programmes pour les démunis et une déclaration des droits. Une fois en poste, par contre, il a eu du mal à prendre des décisions et à faire confiance aux ministres de son Cabinet.

Défenseur des droits

La réalisation dont Diefenbaker était le plus fier a été la Déclaration canadienne des droits, adoptée en 1960 par le Parlement, qui avait pour but de protéger les droits humains fondamentaux comme la liberté d'expression et de religion. De plus, il a accordé aux autochtones le droit de vote et le droit de posséder une propriété, comme tous les autres Canadiens. L'année suivante, il a amorcé le mouvement de boycottage commercial contre l'Afrique du Sud pour qu'elle mette fin à ses politiques racistes.

Des problèmes, encore des problèmes

En 1959, Diefenbaker a abandonné le programme de fabrication d'un

nouvel avion de combat, l'*Avro Arrow*. Cette décision a causé la perte de 14 000 emplois. Diefenbaker a aussi donné son accord à un projet américain d'installer un système de défense canadien doté de missiles nucléaires. À l'élection de 1962, son écrasante majorité de sièges en Chambre a été réduite à une mince minorité. Plus tard cette année-là, certains ont reproché à Diefenbaker d'avoir été lent à mettre les forces armées en état d'alerte lorsque le président Kennedy a ordonné le blocus de Cuba pour empêcher ce pays d'accepter d'autres missiles nucléaires russes. Les critiques à l'endroit de Diefenbaker et de son gouvernement se sont intensifiées.

La confiance perdue

En février 1963, après un vote démontrant qu'une majorité de députés avaient perdu confiance en son gouvernement, Diefenbaker a été forcé d'annoncer une élection. Les libéraux, dirigés par Lester Pearson, ont formé un gouvernement minoritaire.

Dans l'opposition

Devenu chef de l'opposition, Diefenbaker rageait contre la proposition de Pearson de doter le Canada d'un nouveau drapeau. Il considérait ce projet comme un rejet

des racines britanniques du pays. Lors de l'élection de 1965, il a livré une dure bataille à Pearson, qui a dû se contenter d'un autre gouvernement minoritaire. Chez les conservateurs, on commençait à laisser entendre que Diefenbaker devrait céder sa place comme chef du parti, mais celui-ci refusait. Quand on l'a remplacé lors du congrès à la direction du parti en 1967, Diefenbaker a eu l'impression d'être victime d'un coup déloyal. Il est demeuré député jusqu'à sa mort en 1979.

Avro Arrow

Lester Bowles Pearson

Lester Pearson aimait porter des nœuds papillon à pois. C'était aussi un amateur de sport : il a joué au baseball semi-professionnel, a été l'entraîneur d'équipes universitaires de hockey et de football, en plus d'être un joueur et un entraîneur de crosse. Même lorsque les affaires du gouvernement l'accaparaient, Pearson ne manquait jamais une occasion d'assister à un match de baseball. Il suivait également de près son équipe favorite, les Maple Leafs de Toronto.

> « SEUL MONSIEUR PEARSON AURAIT PU SAUVER LE MONDE. »
>
> *Le comité du prix Nobel de la paix, 1957*

Biographie

Naissance : le 23 avril 1897, à Newton Brook (qui fait aujourd'hui partie de York-Nord) (Ontario)

Parti : libéral

État civil : marié à Maryon Moody en 1925 (deux enfants)

Profession : professeur d'histoire à l'Université, diplomate

Vie politique : député de Algoma-Est (Ontario) (1948-1968) ; chef des libéraux (1958-1968)

Premier ministre : du 22 avril 1963 au 20 avril 1968

Décès : le 27 décembre 1972, à Ottawa (Ontario)

La fonction publique

Lester Pearson, surnommé Mike alors qu'il était dans les forces armées, a travaillé pendant 20 ans comme diplomate, gérant les relations du Canada avec les autres pays. Il a joué un rôle majeur dans la création de l'Organisation du traité de l'Atlantique Nord (voir page 33) et de l'Organisation des Nations Unies (voir page 28), en plus d'avoir conseillé au premier ministre Saint-Laurent d'accorder son soutien à l'ONU en participant à la guerre de Corée (voir page 34).

Prix Nobel de la paix

En 1956, Pearson a proposé une solution pour mettre fin au conflit en Égypte à propos du contrôle du canal de Suez. Il a convaincu l'ONU de former une force d'urgence qui pourrait intervenir en cas de crise, et ce, n'importe où dans le monde, en commençant par l'Égypte. L'année suivante, il a reçu le prix Nobel de la paix pour ses efforts.

De minces victoires

Pearson a remplacé Saint-Laurent comme chef libéral en 1958 et a dirigé un gouvernement minoritaire après les élections de 1963 et de 1965. Il a réussi à faire adopter au Parlement plusieurs projets de loi importants avec l'appui des députés néo-démocrates et créditistes.

Une commission d'enquête

Les Québécois avaient le sentiment d'être tenus à l'écart des décisions politiques et ils étaient de plus en plus préoccupés par le besoin de protéger leur langue et leur culture françaises. De leur côté, les néo-Canadiens avaient du mal à garder leurs cultures bien vivantes. En 1963, Pearson a créé la Commission royale d'enquête sur le bilinguisme et le biculturalisme pour étudier ces problèmes et recommander des moyens de les résoudre.

Un nouveau drapeau

En 1963, Pearson a promis aux électeurs un nouveau drapeau canadien distinct. Il s'est heurté à l'opposition farouche du chef des conservateurs, John Diefenbaker, et de certains Canadiens qui considéraient qu'un nouveau drapeau renierait les origines britanniques du pays. Après des mois de débats houleux, le projet de loi a enfin été adopté en décembre 1964. Le 15 février 1965, le drapeau à la feuille d'érable a flotté pour la première fois sur la colline parlementaire.

1967 : les célébrations du centenaire

Pearson espérait qu'une grande fête célébrant le centenaire du Canada allait rassembler les Canadiens. Les célébrations ont duré toute l'année, avec comme principale attraction Expo 67, l'exposition universelle tenue à

Montréal. Pearson a également créé l'Ordre du Canada en 1967, honneur décerné à des Canadiens exceptionnels.

Un homme de paix

« Mike » Pearson s'est retiré de la politique en avril 1968 et est mort en 1972. Depuis 1979, l'Association canadienne pour les Nations Unies a remis la médaille Pearson pour la paix à des Canadiens qui ont marché sur les traces de cet homme grâce à leurs efforts pour préserver la paix dans le monde.

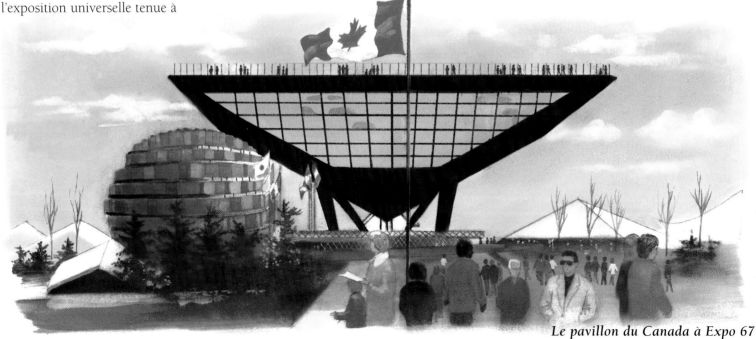

Le pavillon du Canada à Expo 67

Pierre Elliott Trudeau

Pierre Elliott Trudeau est né dans une famille bien nantie, d'un père francophone et d'une mère anglophone. C'était un jeune homme indépendant qui n'avait pas peur de dire le fond de sa pensée. Il aimait le judo, le parachutisme, la plongée sous-marine et la moto, et il a passé des mois à voyager en Europe et en Asie orientale, sac au dos. Intelligent, charmeur et quelque peu mystérieux, Trudeau a été choisi par les libéraux pour remplacer Pearson lorsque ce dernier a démissionné comme premier ministre en 1968.

> « ON NE BÂTIT PAS UN PAYS COMME LES PHARAONS BÂTISSAIENT LEURS PYRAMIDES POUR LES LAISSER EN PLACE DÉFIER L'ÉTERNITÉ. UN PAYS SE BÂTIT CHAQUE JOUR À PARTIR DE CERTAINES VALEURS DE BASE. »
>
> *Trudeau, 1984*

Biographie

Naissance : le 18 octobre 1919, à Montréal (Québec)

Parti : libéral

État civil : marié à Margaret Sinclair en 1971 (trois enfants) ; divorcé

Profession : avocat, professeur de droit

Vie politique : député de Mont-Royal (Québec) (1965-1984) ; chef des libéraux (1968-1984)

Premier ministre : du 20 avril 1968 au 3 juin 1979 ; du 3 mars 1980 au 30 juin 1984

Décès : le 28 septembre 2000, à Montréal (Québec)

La Trudeaumanie

Au printemps 1968, des foules comptant jusqu'à 16 000 personnes, dont la plupart étaient trop jeunes pour voter, se présentaient aux rassemblements de campagne électorale pour apercevoir Trudeau. Pour certains, le voir ne suffisait pas : on voulait le toucher, lui demander un autographe et rapporter à la maison de grandes affiches à placarder sur les murs. Les Canadiens n'avaient jamais rien vu de tel. Ils venaient tout juste de mettre fin aux célébrations du centenaire du Canada. Trudeau pouvait-il les guider vers l'avenir ? Lors de l'élection de juin 1968, ils ont décidé que oui.

Le bilinguisme officiel

Alors qu'il était ministre de la Justice du Cabinet de Pearson, Trudeau avait clairement indiqué qu'il était contre tout statut ou traitement particulier pour le Québec. Cela dit, il croyait que le gouvernement fédéral pouvait faire plus pour aider les Canadiens français à se sentir chez eux au Canada. En 1969, il a suivi les recommandations de la Commission sur le bilinguisme et le biculturalisme (voir page 38) et il a fait adopter la Loi sur les langues officielles. Cette loi garantissait que tous les Canadiens pouvaient recevoir les services de leur gouvernement fédéral dans les deux langues officielles.

Les Affaires étrangères

Trudeau ne voulait pas que le Canada s'investisse autant dans les problèmes d'autres pays que du temps de Pearson. Il a diminué de moitié le nombre de troupes canadiennes au sein de l'Organisation du traité de l'Atlantique Nord (OTAN). Il a refusé d'intervenir dans une guerre civile au Nigeria. Il a également commencé à nouer de nouvelles alliances avec des pays autres que les États-Unis. Ces décisions faisaient le bonheur des uns et le malheur des autres.

D'AUTRES FAITS MARQUANTS
• a aboli la peine capitale en 1976;
• a fait une série de nominations qui étaient des premières pour les femmes:
Muriel Fergusson, Présidente du Sénat, 1972;
Jeanne Sauvé, Présidente de la Chambre des communes, 1980;
Madame Sauvé, gouverneure générale, 1984;
Bertha Wilson, juge à la Cour suprême du Canada, 1982.

Les Canadiens aux urnes

Trudeau a annoncé des élections à l'automne 1972. Les Canadiens avaient appris à connaître leur premier ministre; certains l'adoraient, d'autres souhaitaient le voir partir. Trudeau a de nouveau remporté l'élection, mais il a formé un gouvernement minoritaire. Au cours des deux années qui ont suivi, les prix ont grimpé en flèche, les travailleurs réclamaient des augmentations et beaucoup étaient sans emploi. Les conservateurs ont demandé à Trudeau de limiter la hausse des prix et des salaires, mais il a refusé. En mai 1974, une majorité de députés ont voté contre le gouvernement, obligeant Trudeau à déclencher une autre élection. Cette fois, les libéraux ont gagné avec une majorité confortable.

Des temps difficiles

En octobre 1975, Trudeau a finalement limité les augmentations de salaire et les profits des compagnies. En 1976, le Parti québécois dirigé par René Lévesque a promis de se battre pour l'indépendance du Québec et a remporté une élection dans cette province avec une forte majorité. Par la suite, Trudeau s'est élevé avec véhémence contre l'indépendance du Québec. Il a également pris position à l'ONU contre les pays qui songeaient à fabriquer ou à acheter des armes nucléaires.

La crise d'Octobre

Dans les années 60, les membres d'un groupe révolutionnaire qui se faisait appeler le FLQ (Front de libération du Québec) ont eu recours à la violence pour montrer à quel point ils voulaient que le Québec soit indépendant du Canada. Ils ont terrorisé les Montréalais en faisant sauter plus de 200 bombes et, en octobre 1970, ils ont kidnappé deux otages : un diplomate britannique, James Cross (à gauche) et le ministre du Travail du Québec, Pierre Laporte (à droite). La population du Québec et du reste du Canada avait peur de ce qui allait se passer.

Lorsque le gouvernement du Québec a demandé à Ottawa d'envoyer des soldats à Montréal pour protéger les gens, Trudeau a accepté. Il a également fait appliquer une loi spéciale, la Loi sur les mesures de guerre, qui permet à la police d'emprisonner des suspects sur-le-champ, sans suivre les règles qui s'imposent habituellement lors d'une arrestation. Le lendemain, les ravisseurs ont assassiné Pierre Laporte. La police a capturé les meurtriers et le FLQ a finalement libéré James Cross le 3 décembre, en échange d'un vol pour Cuba.

Le calme est revenu à Montréal et la plupart des personnes emprisonnées en vertu de la Loi sur les mesures de guerre ont été libérées sans qu'aucune accusation soit portée contre eux. Certains ont cru que Trudeau avait réagi avec excès ; d'autres étaient très en colère parce qu'il avait retiré aux Canadiens leurs libertés fondamentales ; d'autres enfin l'approuvaient d'avoir réagi aussi promptement et fermement. Encore aujourd'hui, les Canadiens sont divisés sur la façon dont Trudeau aurait dû gérer la crise d'Octobre.

De retour au pouvoir

De retour au pouvoir

Trudeau a démissionné comme chef de parti en novembre 1979. Néanmoins, lorsque le gouvernement minoritaire de Joe Clark a été défait un mois plus tard (voir page 44), il a accepté de reprendre la direction du parti et de faire campagne en vue de l'élection qui aurait lieu deux mois plus tard. Les libéraux se réjouissaient de ce retour et ils ont gagné l'élection.

Livrer bataille pour le Canada

Au cours des mois qui ont suivi son élection, Trudeau a passé beaucoup de temps dans sa province natale, insistant auprès des Québécois pour qu'ils choisissent de demeurer au sein du Canada lors d'un vote spécial, appelé référendum, qui aurait lieu au Québec le 20 mai 1980. Le camp de Trudeau a gagné. Après le référendum, il s'est attaqué à un projet qui lui tenait à cœur : donner aux Canadiens leur propre Constitution, laquelle pourrait être modifiée au Canada, et non en Grande-Bretagne, et inclurait des libertés et des droits fondamentaux garantis par la loi.

La défaite libérale

Les libéraux ont mis fin au contrôle des salaires et des prix en 1978, mais, un an plus tard, un grand nombre de chômeurs et d'agriculteurs qui subsistaient tant bien que mal ne leur accordaient plus leur confiance.

Les experts financiers se plaignaient que le gouvernement dépensait encore trop et qu'il augmentait la dette du Canada. Cette année-là, les Canadiens ont élu les conservateurs de Joe Clark, qui avait promis des emplois et une baisse des impôts.

LE SAVIEZ-VOUS?

Trudeau a gagné le prix Albert Einstein de la paix en 1984 en récompense de ses efforts pour débarrasser le monde des armes nucléaires et pour avoir œuvré en faveur de la paix.

Une nouvelle Constitution

Lors d'une apparition télévisée en octobre 1980, Trudeau a fait part à la population de ses projets constitutionnels. Après un an de débats enflammés, les premiers ministres de neuf provinces ont finalement donné leur accord aux changements constitutionnels. Quant au premier ministre du Québec, il a refusé de signer l'entente. Quoi qu'il en soit, la Loi constitutionnelle de 1982 et la Charte des droits et libertés sont entrées en vigueur le 17 avril 1982.

> « ÊTRE VOTRE VOISIN
> (LES É.-U.), C'EST COMME
> DORMIR AVEC UN ÉLÉPHANT ;
> QUELQUE DOUCE ET PLACIDE
> QUE SOIT LA BÊTE,
> ON SUBIT CHACUN DE
> SES MOUVEMENTS ET DE
> SES GROGNEMENTS. »
>
> *Trudeau, 1969*

La reine Élizabeth signant la Loi constitutionnelle de 1982

La fin d'une époque

En 1978, Trudeau avait déclaré devant l'ONU que les pays devraient refuser de tester des missiles et des avions conçus pour porter des armes nucléaires. En 1983, pourtant, le gouvernement libéral a permis aux États-Unis de tester certains de ces missiles dans le nord du Canada. Plus tard cette année-là ainsi qu'au début de 1984, Trudeau a rendu visite à de nombreux leaders mondiaux dans le but de les convaincre de réduire leur stock d'armes nucléaires. Puis, le 29 février 1984, il a annoncé une nouvelle fois aux Canadiens qu'il démissionnait. Trudeau est retourné à la vie civile, mais il est demeuré un personnage très influent au Canada.

Il s'est prononcé contre les Ententes constitutionnelles du lac Meech et de Charlottetown (voir page 48). À sa mort en l'an 2000, les Canadiens ont vécu un deuil public de cinq jours. Plus de 60 000 personnes ont défilé devant son cercueil, des milliers d'autres se sont massées le long du parcours de son cortège funèbre et des millions de personnes ont regardé ses funérailles à la télévision.

Charles Joseph Clark

À l'âge de 16 ans, Joe Clark a gagné un concours d'art oratoire local. Son prix ? Un voyage dans la capitale du Canada, comprenant une visite de la colline parlementaire. Clark a bien aimé Ottawa, mais il n'a pas du tout apprécié les cris et le chahut à la Chambre des communes. Dix-sept ans plus tard, il est pourtant entré avec fierté dans cette même Chambre en tant que député de Rocky Mountain, en Alberta. Moins de quatre ans plus tard, il s'est présenté à la course à la direction du Parti conservateur.

« Joe qui ? » Joe Clark !

Lorsque Clark est devenu chef des conservateurs en 1976, la plupart des Canadiens n'avaient jamais entendu parler de lui. Quand ce brave nouveau venu s'est présenté contre Pierre Trudeau en 1979, les journaux ont écrit : « Joe qui ? » Les électeurs en savaient très peu sur Clark, mais en revanche ils connaissaient bien Trudeau et beaucoup croyaient qu'un changement s'imposait. Après 16 ans dans l'opposition, les conservateurs étaient de retour au pouvoir et Joe Clark était premier ministre.

Un gouvernement minoritaire

Après avoir choisi les membres de son Cabinet, dont faisait partie Lincoln Alexander, le premier ministre de race noire au Canada, Clark a attendu plus de quatre mois avant de rappeler le Parlement. Il a consacré ce temps à se préparer. Lorsque Trudeau a démissionné comme chef des libéraux en novembre, Clark était persuadé de pouvoir bien diriger son gouvernement minoritaire.

Biographie

Naissance : le 5 juin 1939, à High River (Alberta)

Parti : conservateur

État civil : marié à Maureen McTeer en 1973 (un enfant)

Profession : journaliste, politicien

Vie politique : député de Rocky Moutain (Alberta) (1972-1979) ; député de Yellowhead (Alberta) (1979-1993) ; député de Kings-Hants (Nouvelle-Écosse) (2000) ; député de Calgary-Centre (Alberta) (2000-2004) ; chef des conservateurs (1976-1983) (1998-2003)

Premier ministre : du 4 juin 1979 au 2 mars 1980

Le budget de Clark comprenait des taxes qui allaient faire grimper en flèche les prix de l'huile et de l'essence. Les députés de l'opposition se préparaient à voter contre le gouvernement. Clark ne s'est pas assuré de la présence de tous ses députés à la Chambre au moment du vote. Il a perdu par trois voix. Décontenancé, il a annoncé une élection en 1980 au cours de laquelle il a été défait par Trudeau. En 1983, Brian Mulroney l'a remplacé comme chef des conservateurs. Clark a perdu son siège au Parlement en 1993. Il a fait un retour en politique en 1998 lorsque les conservateurs l'ont de nouveau choisi pour les diriger, jusqu'en 2003.

John Napier Turner

John Turner n'avait que deux ans quand son père est mort. Pour subvenir aux besoins de sa famille, sa mère a trouvé un emploi comme fonctionnaire à Ottawa, où voisins et amis politiciens côtoyaient quotidiennement les Turner. Le jeune John bavardait avec Lester Pearson et saluait le premier ministre King d'un signe de la tête quand ils promenaient leurs chiens. Au secondaire, Turner était boursier et faisait de l'athlétisme. Il a gagné les championnats junior et senior de sprint et se préparait pour les Jeux olympiques de 1948 quand un accident de voiture a mis fin à son rêve. Par contre, son rêve de devenir un jour premier ministre allait se réaliser, même s'il a été de courte durée.

Dans la course contre Trudeau

Si Pierre Trudeau n'avait pas été dans la course à la direction du Parti libéral en 1968, Turner serait peut-être devenu premier ministre cette année-là. Il était populaire et parfaitement bilingue. Turner est plutôt devenu le ministre de la Justice de Trudeau et, plus tard, son ministre des Finances. À la suite d'un désaccord avec Trudeau en 1975 sur une question de finances, Turner a remis sa démission et est retourné à la pratique du droit.

Des débuts difficiles

Turner a renoué avec la politique lorsque Trudeau a démissionné en 1984. Il a défait Jean Chrétien au congrès à la direction du parti et a été assermenté comme premier ministre.

Biographie

Naissance : le 7 juin 1929, à Richmond (Surrey, Grande-Bretagne)

Parti : libéral

État civil : marié à Geills McCrae Kilgour en 1963 (quatre enfants)

Profession : avocat

Vie politique : député de Saint-Laurent-Saint-Georges (Québec) (1962-1968) ; député d'Ottawa-Carleton (Ontario) (1968-1976) ; député de Vancouver Quadra (Colombie-Britannique) (1984-1993) ; chef des libéraux (1984-1990)

Premier ministre : du 30 juin 1984 au 17 septembre 1984

Sachant qu'il allait bientôt devoir déclencher une élection, il a décidé de le faire sans plus attendre. Lors d'un débat télévisé, le chef de l'opposition, Brian Mulroney, a accusé Turner d'approuver le projet de Trudeau d'offrir des emplois de fonctionnaire à des députés qui quittaient la politique. Une majorité d'électeurs partageaient l'avis de Mulroney et les conservateurs ont remporté l'élection.

Un mandat très court

Turner n'est resté en poste que 79 jours, le deuxième plus court mandat parmi tous les premiers ministres. Il est demeuré chef de l'opposition, contrariant les projets de libre-échange de Mulroney jusqu'à son retrait de la vie politique en 1990.

Martin Brian Mulroney

Déjà, à l'âge de 13 ans, Brian Mulroney racontait à ses amis de Baie-Comeau qu'il voulait devenir premier ministre. Même si les libéraux étaient populaires dans sa province natale du Québec, Mulroney s'est lié avec des conservateurs alors qu'il était étudiant du secondaire au Nouveau-Brunswick. Il avait la cote auprès de ses compagnons de classe, et à son cercle d'amis de Baie-Comeau et du Nouveau-Brunswick se sont ajoutés des amis rencontrés à Québec durant ses études en droit à l'Université Laval. Plusieurs d'entre eux allaient lui venir en aide quand il a décidé de se présenter à la direction du Parti conservateur.

C'est parti

Mulroney avait 36 ans et était un avocat réputé lorsqu'il a décidé de se lancer en politique. En 1976, il n'a pas perdu de temps et a participé à la course à la direction du Parti conservateur. Joe Clark a gagné, mais le nom de Mulroney était maintenant connu. Il est devenu président de la compagnie Iron Ore, puis il est retourné à la pratique du droit en 1983. Plus tard cette année-là, il s'est présenté de nouveau à la direction du Parti conservateur et a été élu. Mulroney a finalement gagné un siège au Parlement après avoir remporté une élection partielle.

Biographie

Naissance : le 20 mars 1939, à Baie-Comeau (Québec)

Parti : conservateur

État civil : marié à Mila Pivnicki en 1973 (quatre enfants)

Profession : avocat, homme d'affaires

Vie politique : chef des conservateurs (1983-1993) ; député de Central Nova (Nouvelle-Écosse) (1983-1984) ; député de Manicouagan (Québec) (1984-1988) ; député de Charlevoix (Québec) (1988-1993)

Premier ministre : du 17 septembre 1984 au 25 juin 1993

LE SAVIEZ-VOUS?

Mulroney a été le premier premier ministre conservateur depuis John A. Macdonald à remporter deux élections consécutives.

« C'EST UN PAYS DIFFICILE À GOUVERNER. »

Mulroney, 1986

Mulroney et son épouse célèbrent après l'élection de 1984.

Une victoire écrasante

Lors du déclenchement des élections en 1984, beaucoup de Canadiens étaient sans emploi, le gouvernement libéral continuait de s'endetter et l'intérêt pour la souveraineté grandissait au Québec. Las des libéraux, les électeurs voulaient du changement. Pendant sa campagne, Mulroney a promis de diminuer les dépenses sans toucher aux programmes sociaux, comme les pensions de vieillesse. Il s'est également engagé à créer des emplois et à trouver un moyen de régler les questions qui préoccupaient les Québécois. Mulroney a clairement eu le dessus sur John Turner lors d'un débat télévisé et il a mené les conservateurs à une écrasante victoire le jour des élections.

Les personnes âgées protestent

Lorsque les conservateurs ont présenté leur premier budget, le ministre des Finances, Michael Wilson, a déclaré qu'il pouvait économiser 650 millions de dollars. Pour y arriver, il devait cependant réduire le montant des pensions de vieillesse. Les gens du troisième âge fulminaient. Ils ont tenu des réunions de protestation et ont manifesté sur la colline parlementaire à Ottawa. Mulroney a forcé Wilson à revenir sur sa position et a décidé que le gouvernement augmenterait ses revenus en haussant les impôts des compagnies et les taxes sur l'essence, plutôt que de diminuer les pensions.

Le thon avarié

Certains ministres du Cabinet ont dû démissionner en raison de scandales durant les premières années de Mulroney au pouvoir. Le scandale qui a le plus choqué les Canadiens était celui du thon en conserve que les inspecteurs de la santé avaient déclaré impropre à la consommation. Le ministre des Pêches et Océans a tout de même autorisé la vente du thon pour éviter que les travailleurs des usines de transformation du poisson ne perdent leur emploi.

Accords et désaccords

En 1986, Mulroney a décidé que le temps était venu de modifier la Constitution à la satisfaction des Québécois (voir page 43). En avril 1987, il a réuni les premiers ministres provinciaux au lac Meech, près d'Ottawa. À la fin de la réunion, Mulroney a annoncé avec fierté qu'un accord était intervenu et que les premiers ministres avaient trois ans pour obtenir l'approbation de leurs législatures provinciales.

Malgré ses efforts, Mulroney n'a pu empêcher l'entente de tomber à l'eau. Les critiques ont signalé des problèmes au niveau de l'accord et, au mois de mai 1987, l'ancien premier ministre Pierre Trudeau a déclaré qu'il s'agissait d'une entente désastreuse qui affaiblirait le Canada en donnant trop de pouvoirs aux provinces. Ses paroles ont semé l'inquiétude parmi les Canadiens anglais et la colère chez les Québécois. Voilà que le plan de réconciliation de Mulroney était en train de diviser le Canada. Pour finir, deux provinces ont refusé de signer l'accord et l'Entente constitutionnelle du lac Meech s'est éteinte.

En 1992, Mulroney a de nouveau tenté de conclure un accord qui aurait sécurisé les Québécois francophones. Il a convoqué les premiers ministres des provinces à Charlottetown, à l'Île-du-Prince-Édouard. Avec l'aide de l'ancien premier ministre Joe Clark, il a élaboré une nouvelle entente qu'on a appelée l'Entente constitutionnelle de Charlottetown. Cette fois, Mulroney a demandé à tous les Canadiens de se prononcer. Les autochtones et les électeurs de sept provinces, dont le Québec, ont rejeté l'accord.

La peine capitale

Plusieurs conservateurs et de nombreux Canadiens souhaitaient rétablir la peine de mort pour certains types de meurtres. Mulroney n'était pas d'accord, mais il a permis à ses députés de voter selon leurs croyances personnelles sur le nouveau projet de loi sur le rétablissement de la peine capitale présenté en 1987. Les autres chefs de parti l'ont imité et le projet de loi a été rejeté.

Le libre-échange

En 1983, Mulroney a déclaré qu'il n'était pas pour le libre-échange entre le Canada et les États-Unis. Pourtant, en 1984, il a fait savoir aux chefs d'entreprise américains que le Canada « leur ouvrait de nouveau ses portes ». Il les encourageait à s'établir au Canada dans l'espoir que des emplois seraient créés. En 1985, Mulroney a annoncé qu'il désirait négocier une entente avec les États-Unis qui éliminerait les taxes spéciales que chaque pays percevait sur les marchandises de l'autre quand elles traversaient la frontière. La plupart des experts canadiens en commerce estimaient que le libre-échange était une bonne chose, tandis que les chefs syndicaux répliquaient que de nombreux emplois disparaîtraient.

Mulroney et le président des États-Unis Ronald Reagan

Marché conclu

Mulroney a réussi à conclure l'Accord de libre-échange. Cependant, avant que l'entente soit enfin signée, il a annoncé une élection. Encore une fois, il a obtenu une majorité de voix et l'Accord de libre-échange est entré en vigueur le 1er janvier 1989.

Un record d'impopularité

En 1991, le gouvernement Mulroney a introduit une nouvelle taxe sur la plupart des produits et services vendus au Canada. Connue sous le nom de la Taxe sur les produits et services (TPS), cette nouvelle mesure était très impopulaire. De plus, beaucoup de Canadiens étaient mécontents parce que l'Accord de libre-échange n'avait pas créé les nouveaux emplois promis par Mulroney. Au début de 1993, les sondages d'opinion montraient que Mulroney était le premier ministre le plus impopulaire de l'histoire du pays. Au printemps, il a remis sa démission comme chef des conservateurs et son parti n'a élu que deux députés lors de l'élection fédérale suivante.

D'AUTRES FAITS MARQUANTS
- a envoyé les troupes canadiennes participer à la guerre du Golfe, menée par les Américains contre l'Iraq, en 1991 ;
- a signé l'Accord de libre-échange nord-américain (ALENA), en 1992 ;
- *a conclu une entente avec les Inuits des Territoires du Nord-Ouest pour former un nouveau territoire appelé le Nunavut, en 1993.*

Avril Kim Campbell

Adolescente, Kim Campbell osait imaginer qu'elle serait un jour première ministre. Elle a mis à l'épreuve ses aptitudes de leader pendant ses études secondaires. Aucune fille de son école n'avait jamais été présidente du conseil étudiant, mais Campbell s'est présentée et a été élue. Lors de sa première année à l'université, elle est devenue la première femme présidente de classe.

Une nouvelle venue

Campbell a été élue de justesse au Parlement en 1988, avec une majorité de moins de 300 voix. Même si la plupart des nouveaux députés attendent généralement quelques années avant d'entrer au Cabinet, le premier ministre Mulroney a immédiatement nommé Campbell ministre des Affaires indiennes et du Nord canadien. L'année suivante, il lui a confié le ministère de la Justice, puis celui de la Défense nationale et Anciens combattants en 1993.

La première femme première ministre au Canada

Campbell faisait du bon travail. Par ailleurs, au début des années 90, Mulroney était très impopulaire, tout comme son parti. Quand il a démissionné comme chef du Parti conservateur en 1993, Campbell s'est aussitôt lancée dans la course pour le remplacer. Elle a gagné et est devenue première ministre.

La dégringolade du parti

Le triomphe de Campbell a été de courte durée. Presque cinq ans s'étaient écoulés depuis la dernière élection et il était temps d'aller aux urnes. Lors de sa campagne électorale, Campbell a promis « une nouvelle façon de faire de la politique », mais les électeurs n'en avaient que faire. Tout ce qu'ils souhaitaient, c'était se débarrasser des conservateurs. Seulement deux députés conservateurs ont été élus en 1993 et Campbell n'en faisait pas partie.

Biographie

Naissance : le 10 mars 1947, à Port Alberni, en Colombie-Britannique

Parti : conservateur

État civil : mariée à Nathan Divinsky en 1972, puis divorcée ; remariée à Howard Eddy en 1986, puis divorcée (pas d'enfant)

Profession : avocate, chargée de cours

Vie politique : membre de l'Assemblée législative de la Colombie-Britannique (1986) ; députée de Vancouver-Centre (Colombie-Britannique) (1988-1993) ; chef des conservateurs (du 13 juin 1993 au 13 décembre 1993)

Première ministre : du 25 juin 1993 au 4 novembre 1993

LE SAVIEZ-VOUS ?

Campbell a été la première femme au Canada au poste de ministre de la Justice.

Joseph Jacques Jean Chrétien

Jean Chrétien, le « p'tit gars de Shawinigan », a grandi dans une famille nombreuse et unie. Ses parents économisaient le moindre sou pour offrir à tous leurs enfants la meilleure éducation possible. Chrétien a été envoyé au pensionnat à l'âge de cinq ans. Même s'il était bon élève, ses parents lui manquaient et la discipline stricte de l'école lui était pénible. De plus, il devait supporter les taquineries à propos de sa surdité et de sa paralysie du côté gauche du visage, toutes deux causées par une maladie en bas âge.

Ambitions politiques

Chrétien a étudié le droit parce qu'il savait que la plupart des grands politiciens étaient avocats. Il n'avait que 29 ans quand il est devenu député en 1963. Chrétien a pris le chemin d'Ottawa, parlant à peine quelques mots d'anglais. Après avoir occupé quatre postes au sein du Cabinet, il a réalisé son rêve de devenir le premier ministre des Finances québécois en septembre 1977.

Biographie

Naissance : le 11 janvier 1934, à Shawinigan (Québec)

Parti : libéral

État civil : marié à Aline Chainé en 1957 (trois enfants)

Profession : avocat

Vie politique : député de Saint-Maurice-Laflèche (Québec) (1963-1968) ; député de Saint-Maurice (Québec) (1968-1986) ; député de Beauséjour (Nouveau-Brunswick) (1990-1993) ; député de Saint-Maurice (Québec) (1993-2004) ; chef des libéraux (1990-2003)

Premier ministre : du 4 novembre 1993 au 12 décembre 2003

Un départ, puis un retour

En 1986, deux ans après avoir perdu la course à la direction du Parti libéral, Chrétien a quitté temporairement la politique. Il a effectué un retour en 1990 et a été élu à la tête de son parti. Après avoir remporté une élection partielle quelques mois plus tard, Chrétien était de retour à la Chambre des communes comme chef de l'opposition.

> « JE TERMINE TOUJOURS MES DISCOURS AVEC UNE SIMPLE VÉRITÉ : LE CANADA EST LE PLUS BEAU PAYS DU MONDE ! »
> *Chrétien, 1990*

La personne que Jean Chrétien considère comme sa meilleure conseillère est son épouse, Aline.

constater que le taux de chômage demeurait élevé et que Chrétien ne s'était pas débarrassé de la TPS. Malgré tout, la popularité de Chrétien ne s'est pas démentie.

Des craintes pour l'unité du pays

Le moment le plus difficile pour Chrétien et tous les Canadiens est survenu en octobre 1995, lorsque les Québécois ont voté sur la possibilité de se séparer du Canada. Chrétien était convaincu qu'une majorité de Québécois choisiraient le Canada plutôt que l'indépendance et il a conseillé aux résidents des autres provinces de rester calmes. Même lorsque les sondages d'opinion ont révélé que le résultat serait serré, Chrétien a tenu à ne pas intervenir. Le 30 octobre, une très faible majorité de Québécois a voté contre la séparation.

Le choix des électeurs

Chrétien avait toujours été un politicien populaire. Les gens le considéraient comme un homme honnête, amical et réaliste. Il était très fier d'être québécois et il aimait profondément son pays. Quand il a affronté les conservateurs lors de l'élection de 1993, les électeurs avaient encore frais à la mémoire les faits et gestes de Brian Mulroney. Les Canadiens en avaient assez d'entendre parler de la Constitution. Ils croyaient aussi que Chrétien allait abolir la TPS tant détestée (voir page 49).

De nouveaux joueurs au Parlement

Chrétien a gagné avec une importante majorité tandis que les conservateurs n'ont fait élire que deux députés. Deux nouveaux partis, le Parti réformiste et le Bloc québécois, sont arrivés à Ottawa en se partageant quelque 100 sièges, le Bloc formant l'opposition officielle.

Tenir la barre en eaux tumultueuses

Avec Chrétien à la tête du pays, les Canadiens semblaient plus disposés à accepter la réduction des dépenses que le gouvernement avait annoncée pour tenter d'équilibrer son budget. Beaucoup n'étaient pas satisfaits de

Un deuxième mandat

Au printemps 1997, après trois ans et demi au pouvoir, Chrétien a déclenché une élection. Certains électeurs étaient mécontents qu'il n'ait pas aboli la TPS et d'autres s'inquiétaient de voir qu'il n'avait pas prévu de plan dans le cas où les Québécois voteraient de nouveau sur la question de la souveraineté. Pourtant, une très mince majorité a choisi de donner une autre chance aux libéraux de Chrétien.

D'AUTRES FAITS MARQUANTS

• a fait adopter la Loi sur les armes à feu, en 1996;

• a mis sur pied le Régime national de prestations pour enfants en 1998;

• a signé le Protocole de Kyoto des Nations Unies, qui vise à réduire considérablement les émissions de gaz à effet de serre, en 2002.

La Loi sur la clarté

Après le vote des Québécois contre la séparation en 1995, la population se demandait tout de même ce qui serait arrivé si le vote avait favorisé l'indépendance. Malgré les avertissements de certains qui estimaient qu'il s'agissait d'un geste risqué, Chrétien a demandé à la Cour suprême si le gouvernement du Québec pourrait simplement décider de retirer unilatéralement la province de la Confédération après avoir gagné un référendum.

La réponse de la Cour, en 1998, établissait que le Québec ne pouvait pas faire une telle chose légalement. Les juges ont également déclaré qu'Ottawa et les autres provinces devraient élaborer un plan de séparation si une majorité suffisante de Québécois votaient pour la souveraineté après avoir répondu à une question très claire. Mais qui déciderait de la clarté de la question et de l'importance de la majorité ? La Cour n'avait rien précisé à ce sujet. Chrétien a déclaré que ce serait au Parlement de trancher.

En dépit des fortes objections des séparatistes et de certains libéraux qui craignaient de perdre des sièges au Québec, le gouvernement de Chrétien a présenté un projet de loi donnant ce pouvoir au Parlement. La loi, appelée Loi sur la clarté, a été adoptée à la Chambre des communes en mars 2000 et est entrée en vigueur quelques mois plus tard.

Lors d'une élection tenue en septembre cette année-là, les libéraux ont plutôt fait des gains au Québec. L'intuition de Chrétien ne l'avait pas trompé. Les gens préféraient la clarté à la confusion.

La position du Canada

Après l'attentat terroriste meurtrier commis par Al-Qaeda contre les États-Unis le 11 septembre 2001, Chrétien a assuré le président George W. Bush de son appui dans sa lutte au terrorisme. Il a envoyé des soldats prendre part à la guerre contre les forces et les partisans d'Al-Qaeda en Afghanistan. L'année suivante, par contre, Chrétien n'était pas d'accord avec les plans de Bush d'attaquer l'Irak dans le cadre de la guerre contre le terrorisme. Il n'a donc pas envoyé de troupes là-bas quand les Américains et les Britanniques ont lancé leurs attaques en mars 2003, décision qui a irrité Bush mais qui a satisfait une grande majorité de Canadiens.

De la brouille au sein du clan libéral

Bien que les libéraux de Chrétien aient obtenu une forte majorité aux élections de 2000, plusieurs membres du parti croyaient qu'il était temps pour leur chef de céder la place. Son ministre des Finances, Paul Martin, avait tenté sa chance à la course à la direction du parti en 1990 et, depuis, il faisait campagne dans les coulisses pour obtenir ce poste. Toutefois, Chrétien n'était pas encore prêt à se retirer. En mai 2002, il a écarté Martin de son Cabinet, mais il a hérité d'un autre problème à l'automne 2003. Les Canadiens étaient très contrariés d'apprendre qu'il y avait eu gaspillage des fonds publics au sein du ministère des Travaux publics du gouvernement. Avec un parfum de scandale dans l'air et la formation d'un nouveau Parti

> « FAITES CONFIANCE AUX CANADIENS. À LEUR SAGESSE. À LEUR GÉNÉROSITÉ. À LEUR GRAND CŒUR. »
> *Chrétien, 2003*

conservateur (l'union de l'Alliance canadienne et des progressistes-conservateurs), Chrétien s'est préparé à quitter la politique. En novembre 2003, les libéraux ont choisi Martin comme nouveau chef. Quelques semaines plus tard, Chrétien a remis sa démission comme premier ministre.

Paul Edgar Philippe Martin Jr

Lorsque Paul Martin Jr était en troisième année, sa famille a déménagé à Ottawa parce que son père y était ministre du Cabinet libéral. Ils retournaient néanmoins passer les vacances scolaires à Windsor, dans un chalet sur le lac Érié. À l'âge de 13 ans, Martin a décidé de chercher un emploi d'été. Il a convaincu un capitaine de bateau de pêche de l'engager comme matelot. Mettre le poisson dans la glace était un dur travail pour cet adolescent chétif, mais cette expérience a marqué le début d'une véritable passion chez Martin pour les navires et la mer.

Après ses études en droit, Martin est devenu un homme d'affaires prospère à Montréal. En 1973, il est devenu président de Canada Steamship Lines (CSL), un emploi sur mesure pour cet amant de la mer doué pour les affaires. Huit ans plus tard, il a acheté CSL.

Tel père, tel fils

En 1988, Martin a suivi les traces de son père et a gagné un siège au Parlement. En 1990, il a tenté, comme son père l'avait fait, de devenir chef du Parti libéral, mais il a été défait par Jean Chrétien dans cette course. Cependant, lorsque les libéraux ont pris le pouvoir en 1993, Chrétien l'a nommé ministre des Finances.

Avec le soutien du premier ministre, Martin a entrepris de réduire le déficit (la différence entre la somme que le gouvernement dépense et celle qu'il récolte en impôts chaque année). Il a mis sept ans à le faire et, bien qu'il ait réduit le budget de plusieurs programmes d'aide aux Canadiens, lui et Chrétien sont demeurés populaires auprès des électeurs. Cela dit, ils ne s'entendaient pas comme larrons en foire, car Martin convoitait toujours le poste de Chrétien. En 2002, ce dernier l'a démis de ses fonctions de ministre des Finances.

À la tête du parti et du pays

Lorsque Chrétien a démissionné à la fin de 2003, Martin est enfin devenu ce que son père avait toujours rêvé d'être : chef du Parti libéral et premier ministre du Canada. Pour rassurer les Canadiens en colère, il a promis d'aller jusqu'au fond du scandale des commandites (voir page 53), ce qui n'a pas empêché plusieurs libéraux de perdre leurs sièges lorsqu'il a déclenché une élection en juin 2004. Sans une majorité de députés au Parlement, la tâche de Martin est devenue beaucoup plus difficile.

Biographie

Naissance : le 28 août 1938, à Windsor (Ontario)

Parti : libéral

État civil : marié à Sheila Ann Cowan en 1965 (trois enfants)

Profession : avocat, homme d'affaires

Vie politique : député de LaSalle-Émard (Québec) (1988-); chef des libéraux (2003-)

Premier ministre : du 12 décembre 2003 au...

Chronologie

PREMIERS MINISTRES	ÉVÉNEMENTS	
Sir John A. Macdonald *1867-1873*	1867	• Le Dominion du Canada est formé.
	1869	• Le soulèvement de la rivière Rouge
Alexander Mackenzie *1873-1878*	1873	• La Police à cheval du Nord-Ouest est formée.
	1874	• Introduction du vote par scrutin secret
	1875	• Établissement de la Cour suprême
Sir John A. Macdonald *1878-1891*	1878	
	1885	• Le dernier crampon est enfoncé dans les rails du chemin de fer transcanadien.
Sir John Abbott *1891-1892*	1891	
Sir John Thompson *1892-1894*	1892	• Adoption du Code criminel canadien
Sir Mackenzie Bowell *1894-1896*	1894	
Sir Charles Tupper *1896*	1896	• On découvre de l'or au Klondike.
Sir Wilfrid Laurier *1896-1911*	1896	
	1899	• Début de la guerre des Boers en Afrique du Sud.
	1902	• Fin de la guerre des Boers en Afrique du Sud.
Sir Robert Borden *1911-1920*	1911	
	1914	• Début de la Première Guerre mondiale
	1917	• Création de la Loi de l'impôt sur le revenu
	1918	• Les femmes obtiennent le droit de vote aux élections fédérales. • Fin de la Première Guerre mondiale
	1919	• Grève générale à Winnipeg
Arthur Meighen *1920-1921*	1920	
Mackenzie King *1921-1926*	1921	
Arthur Meighen *1926*	1926	
Mackenzie King *1926-1930*	1926	
	1929	• Début de la crise de 1929
Richard Bennett *1930-1935*	1930	
Mackenzie King *1935-1948*	1935	
	1939	• Début de la Seconde Guerre mondiale • Fin de la crise de 1929
	1940	• Création de la Loi sur l'assurance-chômage
	1944	• Création de la Loi sur les allocations familiales
	1945	• Fin de la Seconde Guerre mondiale

PREMIERS MINISTRES	ÉVÉNEMENTS	
Louis Saint-Laurent *1948-1957*	1948	
	1950	• Début de la guerre de Corée
	1953	• Fin de la guerre de Corée • Création du ministère des Affaires du Nord canadien
John Diefenbaker *1957-1963*	1957	
	1959	• Ouverture de la voie maritime du Saint-Laurent
	1960	• Adoption de la Déclaration canadienne des droits
Lester Pearson *1963-1968*	1963	• Création de la Commission royale d'enquête sur le bilinguisme et le biculturalisme
	1965	• Nouveau drapeau canadien, l'unifolié • Création du régime de pensions du Canada
	1966	• Adoption de la Loi sur les soins médicaux (assurance-maladie)
	1967	• Centenaire du Canada
Pierre Trudeau *1968-1979*	1968	
	1969	• Adoption de la Loi sur les langues officielles
	1970	• La crise d'Octobre
	1976	• Abolition de la peine capitale
Joe Clark *1979-1980*	1979	
Pierre Trudeau *1980-1984*	1980	• Premier référendum sur la séparation du Québec
	1982	• La Loi constitutionnelle de 1982 et la Charte des droits et libertés entrent en vigueur.
John Turner *1984*	1984	
Brian Mulroney *1984-1993*	1984	
	1989	• L'Accord de libre-échange entre en vigueur.
	1991	• Introduction de la Taxe sur les produits et services (TPS)
Kim Campbell *1993*	1993	
Jean Chrétien *1993-2003*	1993	
	1999	• Création du Nunavut
	2000	• Le Parlement adopte la Loi sur la clarté.
	2001	• Des terroristes attaquent New York et Washington, D.C.
Paul Martin *2003-*	2003	• Début de la guerre menée par les Américains contre l'Iraq.

Index